한글서예

정자체 1

갈꽃 권숙희 쓴

㈜이화문화출판사

차 례

□ 서예 이론

□ 정자체 필법

□ 정자체 자음 · 모음

□ 정자체 겹모음

□ 정자체 받침

□ 정자체 낱말

□ 서예 이론

◎ 문방사우

서예에 필요한 용구와 재료
먹, 벼루, 붓, 종이
문인과 묵객들에게 보배롭게 여겨져
문방사보로 불리기도 한다.

ㅇ 먹

· 먹의 종류 - 석묵, 송연묵, 유연묵, 유송묵

석　묵 - 중국 축양산에 묵산이란곳
산석이 먹 같았다고 한다.

송연묵 - 소나무를 태운 그을음을 사슴, 노루,
소, 말의 아교와 배합하여 만든다.

유연묵 - 동유를 쓰기도 했으나 양연으로 많이
만든다.

유송묵 - 송연과 유연을 혼합해서 만든다.
아교질이 적은 편이고 광택이 있다.

· 먹을 만드는 시기 - 한냉기에 만든다.
가볍고 단단하며 입자가
고와야 한다.
두들겨서 소리가 맑아야 한다.

ㅇ 벼루

· 대표적인 벼루

중국 - 단계연, 흡주연
한국 - 백운연, 해주연, 남포연
종류 - 옥연, 도연, 와연

ㅇ 붓 - 진의 몽념이란 사람이 이리털로 심을 하고
토끼털로 싸서 만들었다고 한다.

· 붓의 종류

자호필 : 산토끼 털로 만든 흑자색을 띤다.
낭호필 : 이리털로 만든 붓 탄력있다.
양호필 : 양의털로 만든 붓 부드럽다.
겸호필 : 두 종류 이상의 털을 섞어 만든것

유호 - 양호
강호 - 그외의 것들
그외의 것들
- 말, 쥐, 족제비, 노루, 개, 고양이털도 쓴다.
- 대를 쪼개어 만든 죽필도 있다.

· 붓의 선택, 관리

동물이 자신의 털을 아끼는 것처럼 주의해야 함.
신문이나 벼루위에 글씨를 쓰는 것은 금물
씻은 붓은 거꾸로 매달아 두는 것이 좋다.

○ 종이 - 동한의 채륜이 종이 발명함.

· 선택과 보관 - 종이는 먹이 고르게 퍼져야 한다.
먹의 농담과 종이와의 관계를
터득해야 좋은 글씨를 쓸 수 있다.
- 화선지는 비닐에 싸서 밀폐시켜
두는게 좋다.

· 문방사우 외에 모전(담요), 서진, 붓말이, 붓걸이, 붓꽂이, 필산, 연적 등의 용구가 필요하다.

◎ 서체의 종류

○ 한글서체

· 판본체 - 훈민정음체 (정음체라고도 함)

· 혼서체 - 필사체

· 궁　체 - 숙종때 궁중에서 궁녀들에 의해
새로운 글씨가 정리되면서
여성들의 성격과 생리에 알맞는
아름다운 궁체가 형성되었다.

궁체의 종류
정자, 흘림, 진흘림, 반흘림,
편지글, 소설, 계율서, 번역서에
두루 쓰였으며 뛰어난 작품이 많다.

○ 한문서체

· 갑골문 (상형문자에 가깝다)

· 금문 (종이나, 솥에 새긴것)

· 전서, 예서, 초서 (진흘림)

· 행서 (흘림), 해서 (정자)

◎ 서예의 기본자세

○집필법

· 현완법 - 팔을 어깨높이로 들고 쓰는 법 (큰글씨)

· 침완법 - 왼손등에 팔을 대고 쓰는 법 (작은글씨)

· 제완법 - 팔꿈치만 책상에 대고 쓰는 법
(작은글씨, 큰글씨)

○붓 잡는 법

- 단구법 - 침완법으로 작은 글씨 쓸때
- 쌍구법 - 큰 글씨 쓸때
- 오지법 - 다섯 손가락을 나란히 잡는 법
- 악필법 - 멧돌 손잡이 잡듯 쓰는 법
- 운필 - 점찍고 획 긋는 방법, 붓의 움직임
- 중봉 - 붓을 곧게 세워서 필봉의 중심으로 쓰는 법
- 편봉 - 필봉을 뉘어서 붓 허리로 쓰는 법
- 장봉 - 붓을 댈때(역입) 붓을 감춰 쓰는 법
- 노봉 - 붓끝을 노출하여 쓰는 법(행서, 초서)
- 원필 - 붓을 댄곳, 뗀곳이 둥근 모양을 이룬것
- 방필 - 원필과 반대로 각지게 쓰는 법

◎ 서예에 잘 쓰이는 말

- 법서 - 전통적인 서법에 근거를 둔 글씨
- 속서 - 법서의 반대, 자기 나름대로 쓰는 글씨
- 비학 - 비의 원류(비석) 탁본의 문자내용을 연구하는 학문
- 법첩 - 고전 법서의 책자들
- 첩학 - 법첩의 원류, 서적의 문자내용을 연구하는 학문
- 서체 · 자체 - 글자의 형체
- 속자 - 민간인들이 쓰던 편지글
- 장법 - 공간 구성법, 행간 · 자간 구성
- 낙관 - 서명하고 전각을 찍는 것

◎ 전각의 종류

- 관인 - 관직의 제도가 정비되면서 발달함
- 사인 - 성명인, 아호인
- 유인 - 여백에 찍어 조화롭게 함 / 한인, 사구인
- 수장인 - 서화작품의 소장자임을 나타내는 도장
- 장서인 - 책에 찍는 도장
- 음각 - 글씨가 희게 찍히는 것 / 백문
- 양각 - 붉게 찍히는 것 / 주문
- 음양이 같이 찍히는 것 / 백주문
- 측관 - 도장 옆면 작가 이름 등 새기는 것 / 변관

□ 정자체 필법

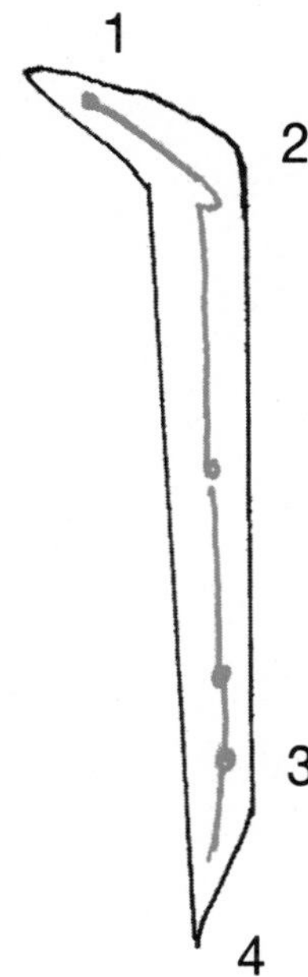

「ㅣ」의 획은 1에서 붓끝을 오른쪽 약45도로 점을 찍듯이 놓고 2의 지점에서 붓을 세우고 힘을 주어 천천히 왼쪽 선을 줄이면서 아래로 점점 가늘게 그어 3지점에서 붓의 끝을 4의 방향으로 가늘게 모아 붓을 든다.

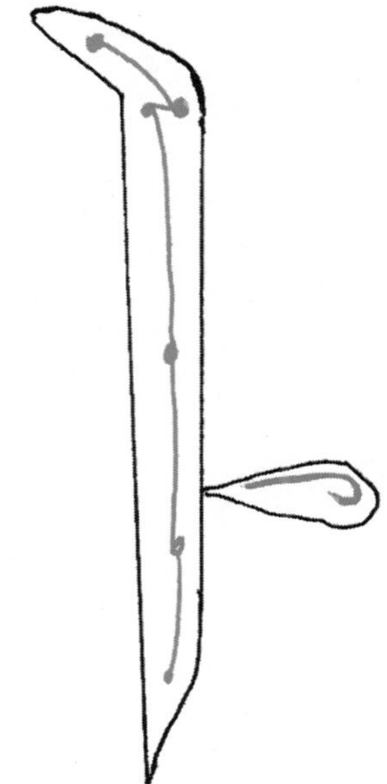

「ㅏ, ㅑ」의 세로획은 앞의 세로획에서 설명한 필법과 같고 「ㅏ」의 가로획은 아래쪽의 약 $\frac{2}{5}$지점에 아래로 약간 빗겨서 가볍게 누르고 왼쪽방향으로 붓을 든다

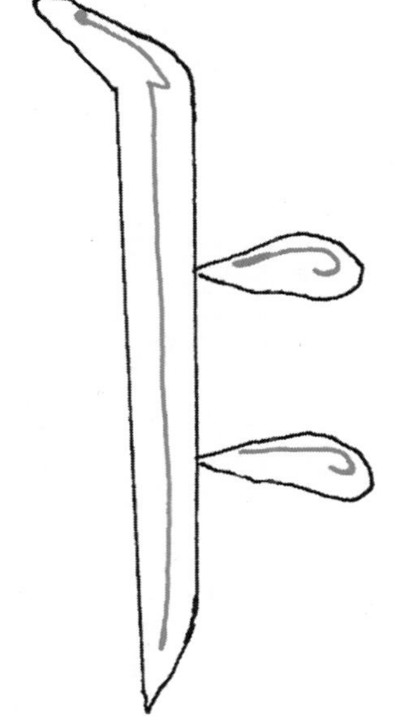

「ㅑ」의 두 점은 「ㅣ」의 $\frac{1}{3}$지점에 찍는데 윗점은 수평보다 약간 위로 찍고 아래점은 약간 아래로 빗겨 찍거나 「ㅏ」와 같이 찍는다.

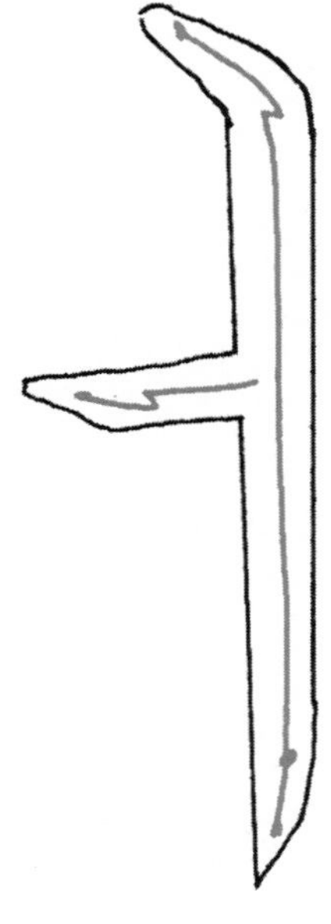

「ㅓ」의 가로획은 붓끝을 세워서 「ㅣ」의 $\frac{1}{2}$지점에 수평보다 약간 위로 누르지 않고 놓아 짧고 가볍게 긋고 붓을 든다.

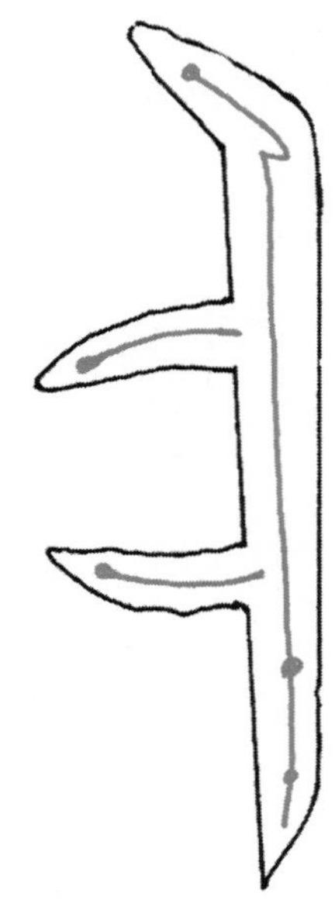

「ㅕ」의 위쪽 가로획은 세운 붓끝을 가볍게 살짝 위쪽으로 놓다가 수평으로 짧게 긋고, 아래 점은 아래로 가볍게 놓다가 수평으로 짧게 긋는다.

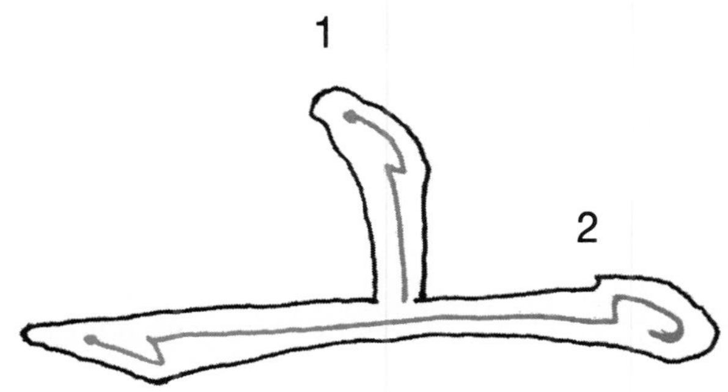

「ㅗ, ㅛ」의 세로획은 1에서 붓끝을 세워서 세로획을 긋듯이 약45도의 각으로 놓고, 붓끝을 세워서 양쪽을 점점 짧고 가늘게 2의 방향으로 긋는다.

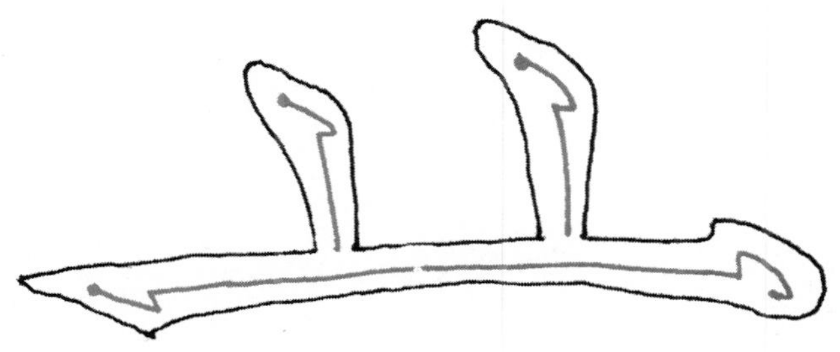

「ㅛ」의 앞 세로획은 짧게 긋고 뒤의 세로획은 앞의 세로획보다 좀더 위에 붓을 놓아 길게 긋고, 가로획은 「ㅡ」와 같은 필법과 같다.

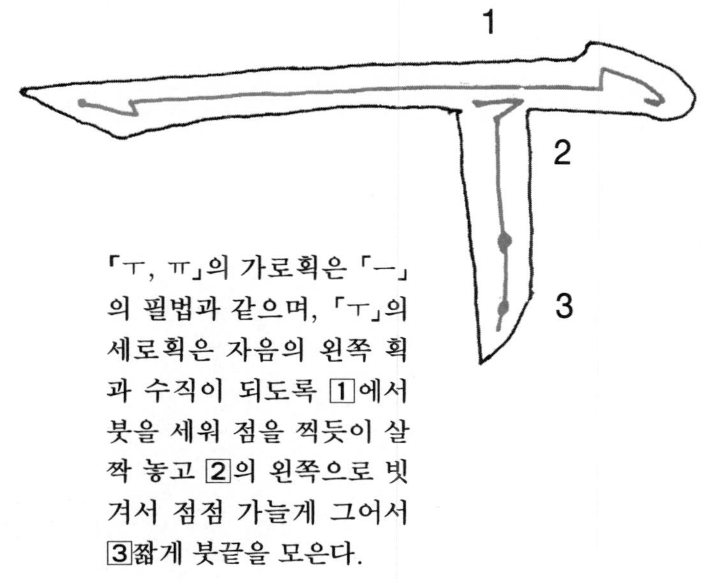

「ㅜ, ㅠ」의 가로획은 「ㅡ」의 필법과 같으며, 「ㅜ」의 세로획은 자음의 왼쪽 획과 수직이 되도록 1에서 붓을 세워 점을 찍듯이 살짝 놓고 2의 왼쪽으로 빗겨서 점점 가늘게 그어서 3짧게 붓끝을 모은다.

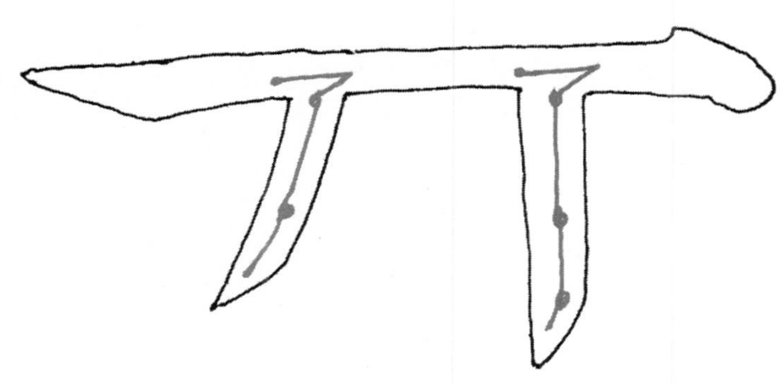

「ㅠ」의 왼쪽 세로획은 「ㅡ」획의 $\frac{1}{3}$지점에서 붓을 세워서 가볍게 놓고 왼쪽 아래로 약간 빗겨서 오른쪽 세로획보다 가늘고 짧게 긋는다.

「一」의 획은 [1]에서 붓끝을 세워서 오른쪽 아래로 빗겨 놓고 눌렀다가 가볍게 붓을 치켜 올려 약간 위쪽으로 빗겨서 윗선은 직선으로, 아랫선은 점점 가늘게 긋고, [2]의 지점에서 다시 점점 굵게 [3]까지 긋는다. 그리고 붓 끝을 세워 오른쪽 아래로 돌리면서 눌렀다가 왼쪽방향으로 붓을 든다.

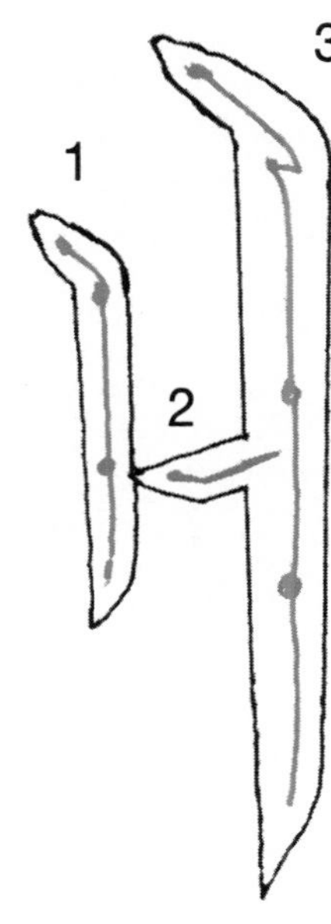

「개, 래, 패」에서 「ㅐ」획은 「ㅣ」획과 「ㅓ」획이 합성된 획으로 [1]의 「ㅣ」획은 자음의 길이 정도로 짧고 가늘게 긋고, [2] 「ㅓ」의 가로 점은 자음의 아래 획의 높이에 찍고 [3]의 세로획은 강하고 길게 긋는다.

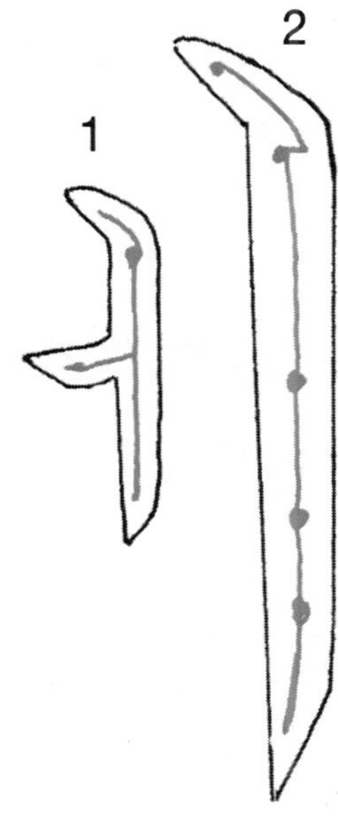

「게, 데, 헤」에서 「ㅔ」획은 「ㅓ」획과 「ㅣ」획이 합성된 획으로 [1]획은 자음보다 약간 길고 약하게 긋고, [2]의 세로획은 모음의 필법과 같이 강하고 길게 긋는다. 그러나 「게, 메, 헤」의 자음자리는 「네, 데」보다 약간 왼쪽으로 놓아야 한다.

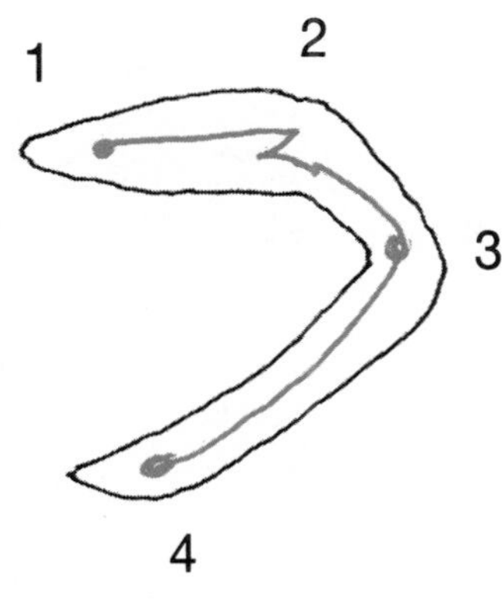

「가, 갸」의 「ㄱ」획은 1에서 붓을 세워서 점을 찍듯이 눌러서 약간 아래로 향하듯이 굵고 짧게 놓고 2에서 붓끝을 모으면서 3의 위치에서 멈추고 왼쪽 아래로 같은 굵기의 선으로 위쪽을 향하듯이 빗겨 긋고 4에서 붓을 멈춘다. 「거, 겨」의 「ㄱ」획은 「가, 갸」의 필법과 같으나 「ㄱ」의 자리를 놓을 때 왼쪽으로 약간 이동하여 「ㅓ, ㅕ」의 가로획 자리를 확보해야 한다.

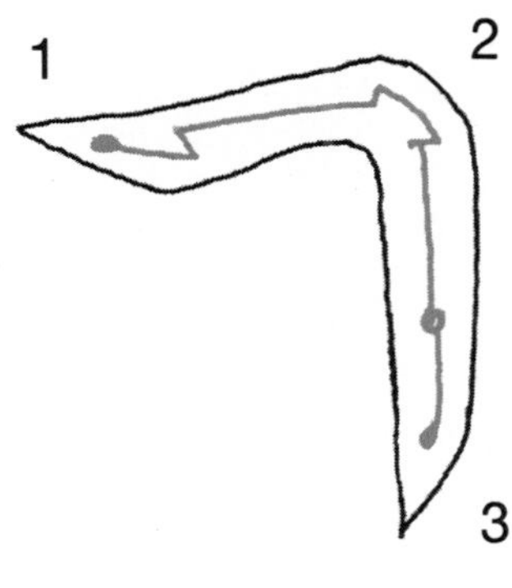

「고, 교」의 「ㄱ」획은 1모음의 「ㅡ」을 긋듯이 시작해서 2에서 붓끝을 세로획을 긋듯이 세워서 수직으로 짧게 긋다가 3에서 멈추듯이 붓끝을 모은다.

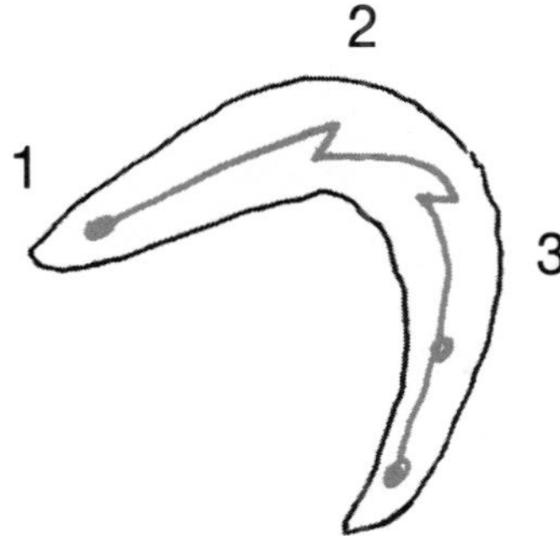

「구, 규, 그」의 「ㄱ」획은 1에서 약간 위쪽으로 감싸 안듯 점을 찍고 2에서 붓끝을 모으면서 오른쪽 아래로 둥글게 긋고, 3에서 붓끝을 세워 같은 굵기의 선으로 왼쪽 아래로 약간 빗겨 그으면서 붓끝을 모은다.

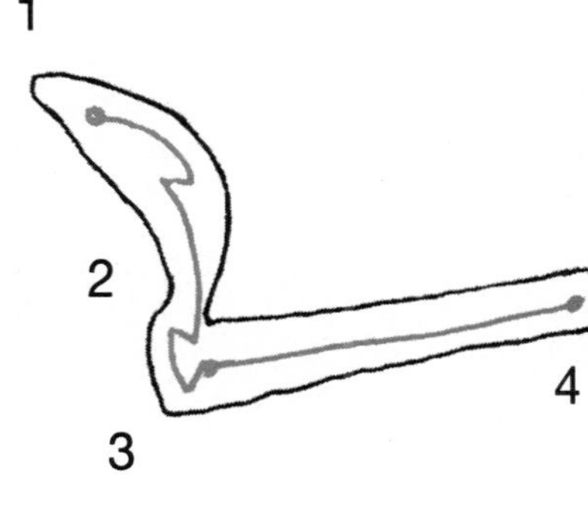

「나, 냐, 니」에서 「ㄴ」의 세로획은 [1]붓끝을 세우고 오른쪽 아래로 빗겨 살짝 누르고, 세워서 수직으로 점점 가늘게 그어 [2]에 모으고. [3]에서 붓끝을 세우고 눌러서 오른쪽 위로 살짝 빗겨 길게 긋고 [4]에서 누르고 멈춘다.

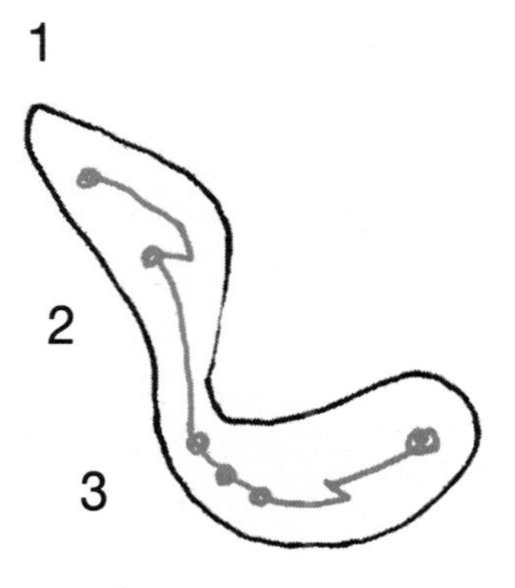

「너, 녀」의 [1]과 [2]의 획은 같고, [3]에서 [2]의 굵기로 둥글게 돌려서 윗선은 직선을 유지하고 아랫선은 둥글게 하고 오른쪽 위로 약간 빗겨 누르다가 들면서 멈춘다.

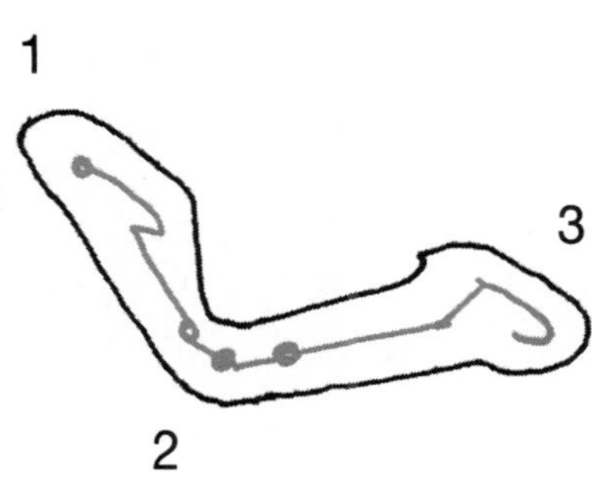

「노, 뇨, 누, 뉴, 느」의 [1]에서 세로획은 붓끝을 오른쪽 아래로 빗겨 살짝 누르고, 약45도 각으로 점점 가늘게 긋고 [2]에서 붓끝을 모아 둥글게 오른쪽 위로 약간 빗겨 긋고 [3]에서 멈추다가 아래로 살짝 누르고 붓을 든다.

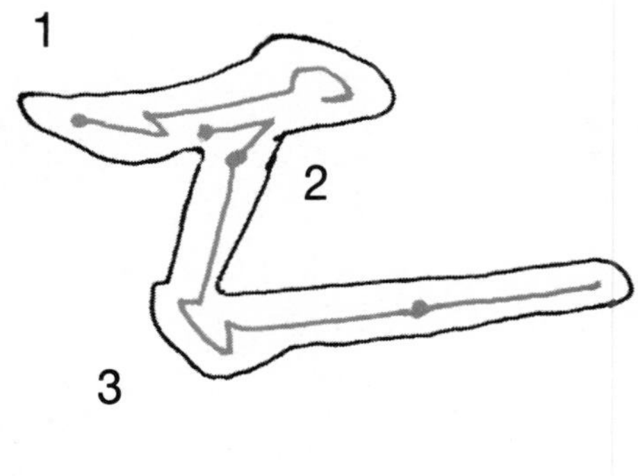

「다, 댜, 디」의 「ㄷ」획은 [1]에서 짧고 강하게 가로획을 긋고 [2]에서 붓끝을 세워서 가로획에 놓고 약간 수직의 왼쪽으로 빗겨 가늘게 내려 그어 [3]에서 붓끝을 세우서 멈추어 살짝 힘을 주고 가로획을 길게 그어 눌러 멈춘다.

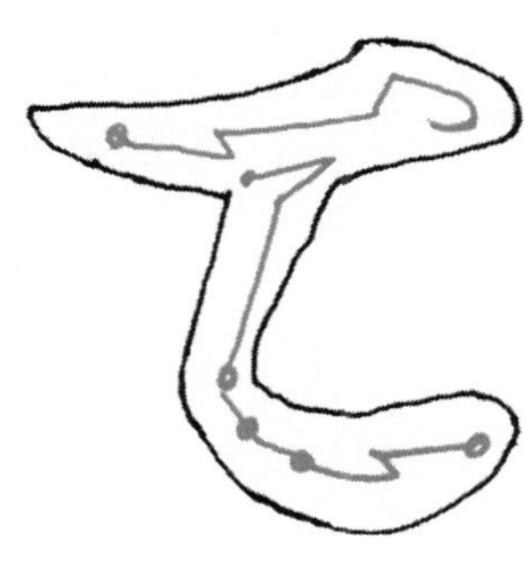

「더, 뎌」의 「ㄷ」획은 「ㄴ」의 경우와 같이 아래쪽 가로획은 짧고 둥글게 멈춘다.

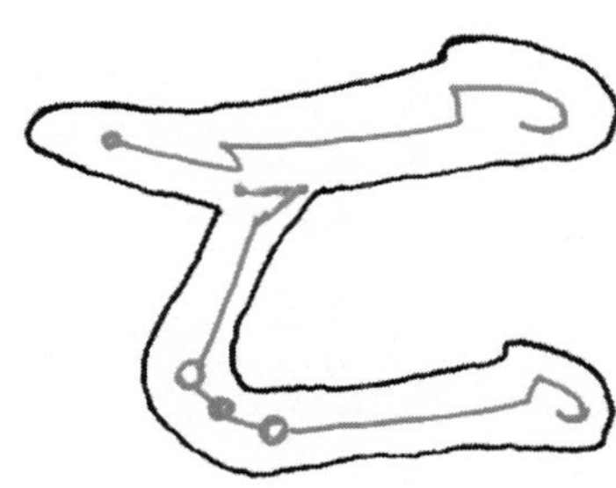

「도, 됴, 두, 듀, 드」의 「ㄷ」획은 「더」의 경우보다 「ㄴ」의 획을 짧게 긋고 모음 획은 앞의 필법과 같다.

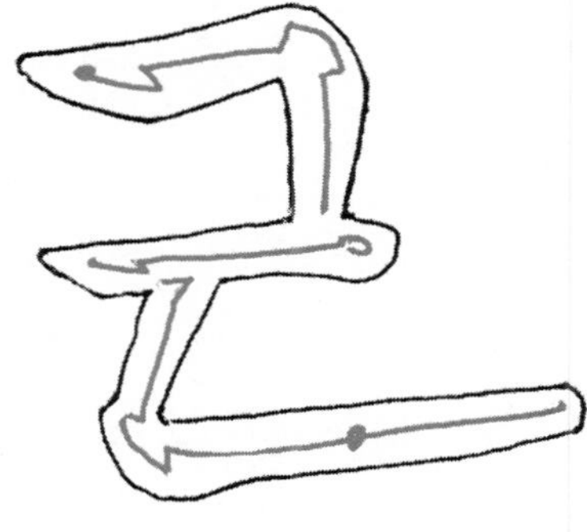

「라, 랴, 리」의 「ㄹ」 획은 「고」의 「ㄱ」획에 「다」의 「ㄷ」획을 붙이는 필법과 같다.

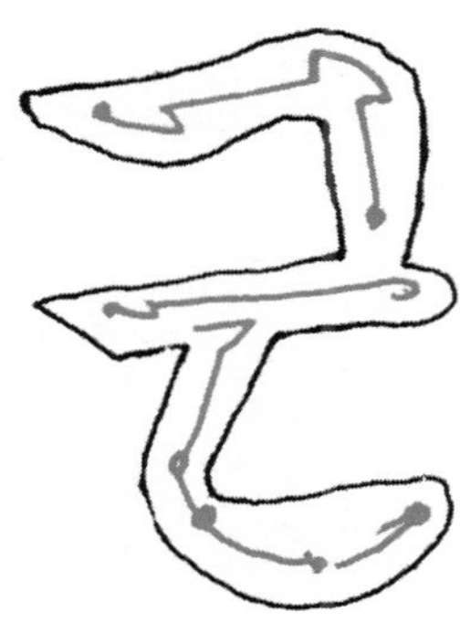

「러, 려」의 「ㄹ」획의 「ㄱ」획은 위와 같으나 「ㄷ」획은 「더」의 필법과 같다. 그러나 「ㄹ」의 자리는 「거, 겨」의 「ㄱ」획은 「가, 갸」의 필법으로 써야 한다.

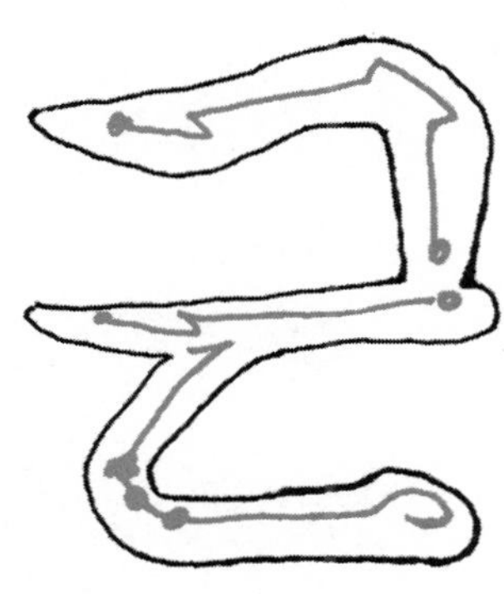

「로, 료, 루, 류, 르」의 획 「ㄹ」의 첫획은 ㄱ의 필법과 같으며 「도, 됴」의 필법과 같다.

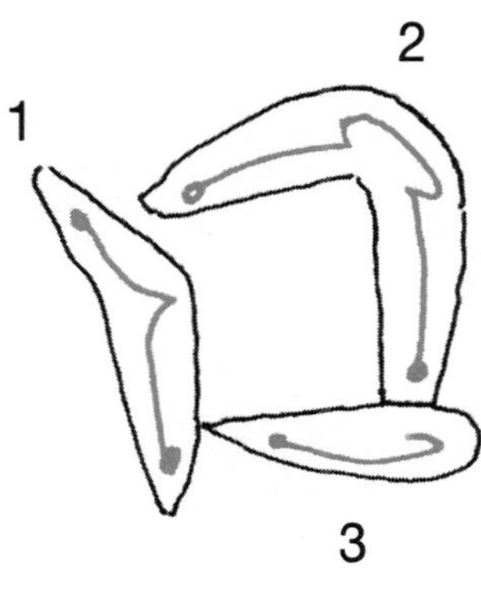

마, 머, 모, 믐」의 「ㅁ」은 「ㅣ」획에서와 같이 [1]에서 붓끝을 오른쪽으로 약45도 각으로 빗겨 놓고 힘 있게 수직으로 점점 가늘고 짧게 그어 붓끝을 모으고 [2]에서는 「그」의 「ㄱ」획과 달리 오른쪽을 줄이면서 더 짧게 긋는다. [3]의 가로획은 붓끝을 [1]획 끝의 약간 위쪽에다 살짝 가로로 놓고 약간 누르고 붓을 든다.

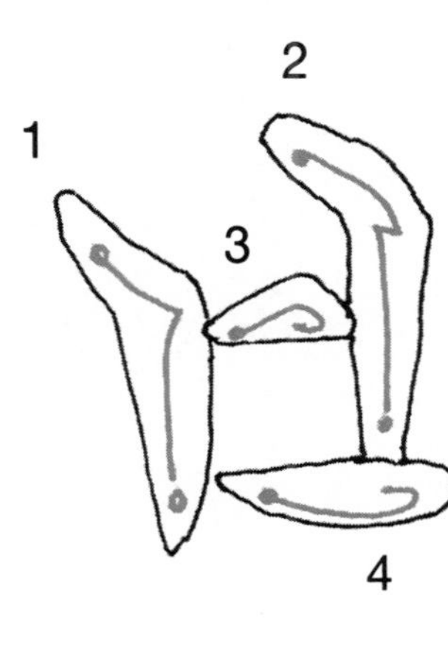

「바, 버, 보, 밥」의 「ㅂ」획은 「ㅣ」획에서와 같이 [1]에서 붓끝을 오른쪽 약45도로 빗겨 놓고 힘 있게 수직으로 점점 가늘고 짧게 긋고 [2]획에서는 [1]에서보다 붓끝을 좀더 가로로 놓고 수직으로 양쪽을 점점 가늘게 붓끝을 모으고, 줄이면서 더 길게 긋고 붓끝을 모은다. [3]에서 붓끝을 [1]획에 머리 밑에 놓고 오른쪽 위로 살짝 빗겨 찍고 붓을 든다. [4]의 가로획은 「ㅁ」의 [3]획과 필법이 같다.

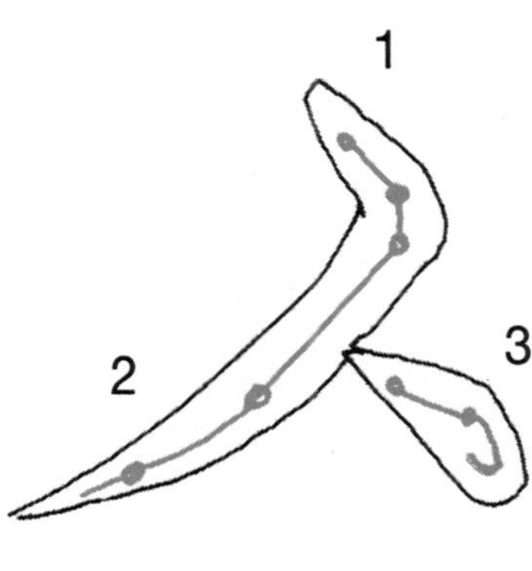

「사, 샤, 시」의 「ㅅ」획의 [1]획은 붓끝을 왼쪽에서 약45도 각으로 찍고 붓을 세워서 [2]에서 왼쪽 약45도 각으로 빗겨서 선이 점점 가늘게 붓을 들면서 살짝 수평으로 들어 붓을 멈춘다. [3]획은 [2]획의 중간에서 약 45도 각으로 누르고 붓을 든다.

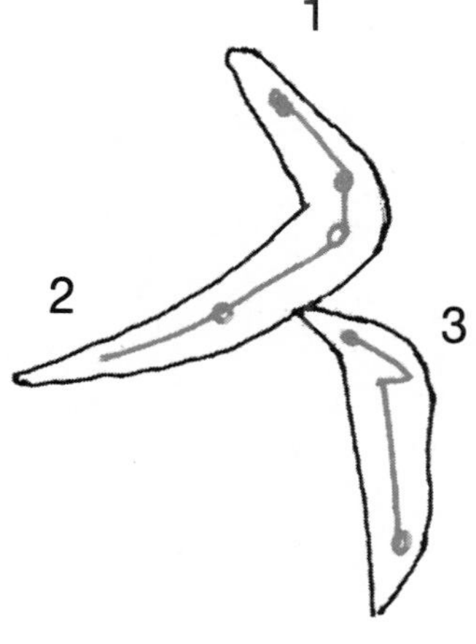

「서, 셔」에서 「ㅅ」획은 [1]획은 「사」와 같고 [2]획은 [1]획에 좀더 위로 빗겨 긋고 [3]획은 [1]획의 끝에 붓을 빗겨 놓고 수직으로 점점 가늘고 길게 내리긋고 붓을 든다.

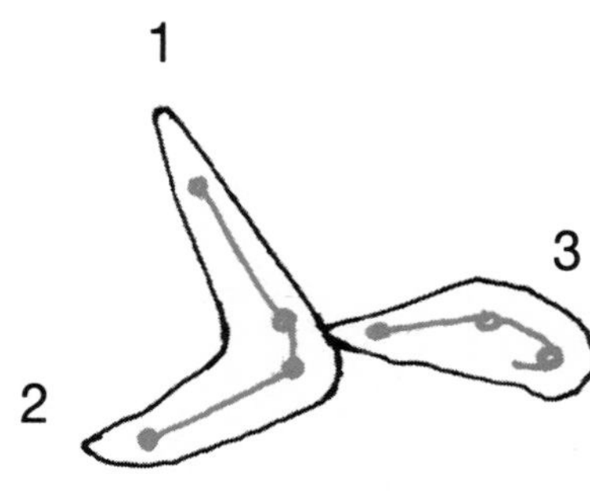

「소, 쇼, 수, 슈, 스」의 「ㅅ」에서 [1]획은 붓을 약75도 각으로 세워서 점을 찍고 왼쪽으로 약35도 각의 [2]획을 점점 가늘게 긋는다. [3]획은 [1]획의 끝에서 [2]획과 균형을 이루도록 아래로 둥글게 찍는다.

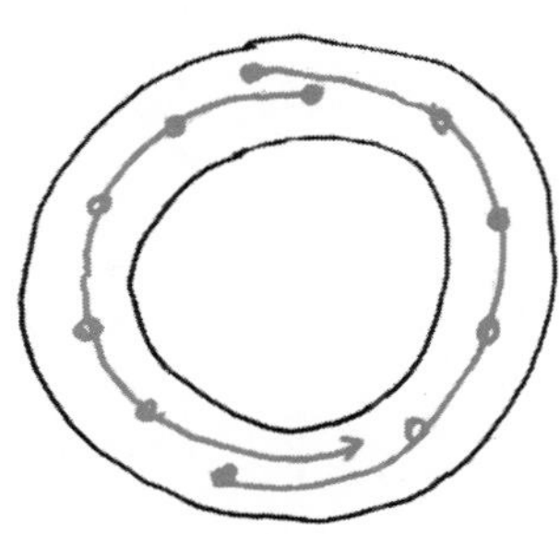

「아, 야, 이, 양」의 「ㅇ」획의 붓끝을 세워서 화살표의 방향으로 선의 굵기를 고르게 긋는다. 그러나 붓을 놓는 자리는 「가, 갸」의 필법으로 써야 한다.

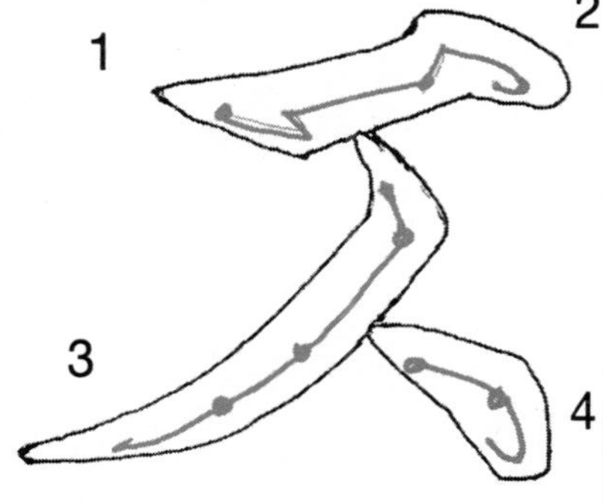

「자, 쟈, 지」의 「ㅈ」획에서 1의 가로획은 힘있게 긋고 「ㅅ」획을 붙이는데 머리의 점은 「사」의 경우보다 약하게 찍는다.

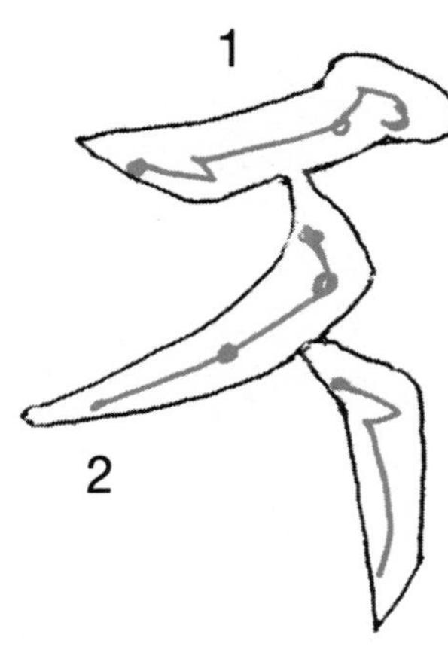

「저, 져」의 「ㅈ」획은 1획은 「자」와 같고 2획은 「서」와 같다.

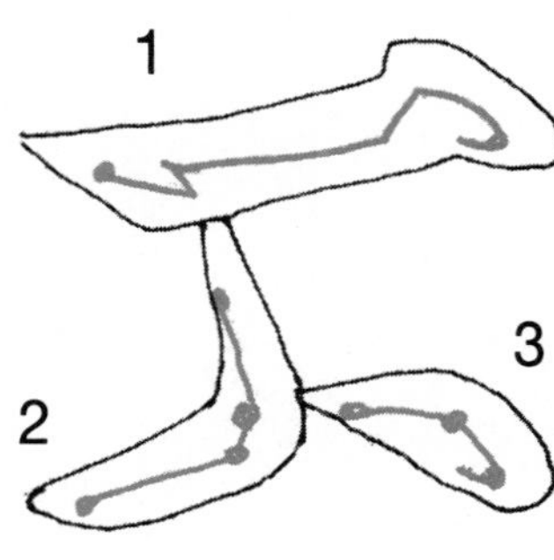

「조, 죠, 주, 쥬, 즈」의 「ㅈ」에서 가로획은 앞의 글씨와 같고, 2, 3획은 「소」의 「ㅅ」획과 필법이 같다.

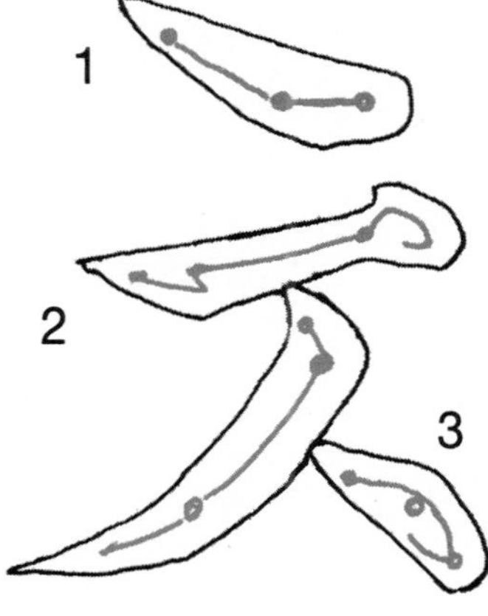

「차, 챠, 치」의 「ㅊ」획에서 1획은 「ㅎ」획의 필법과 같고, 2획과 3획은 「자」의 필법으로 구성하면 된다.

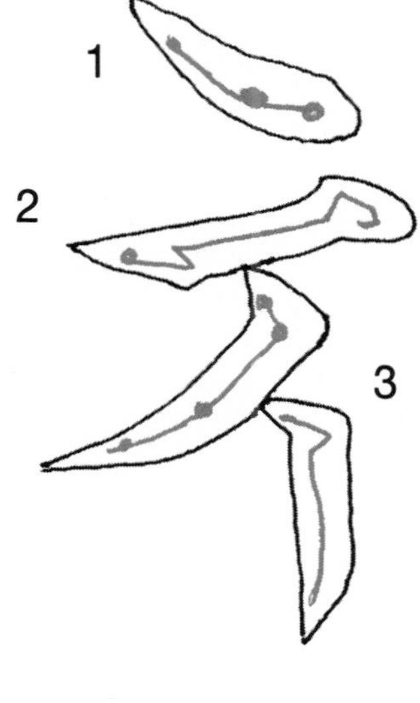

「처, 쳐」의 「ㅊ」획에서 1획은 「ㅎ」획의 필법과 같고, 2획과 3획은 「저」와 필법이 같다.

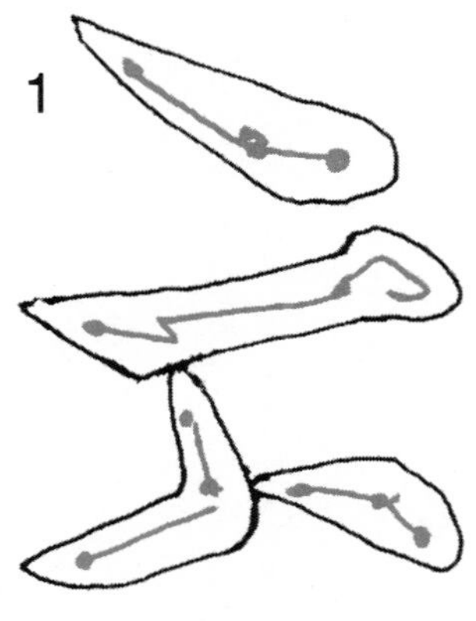

「초, 쵸, 추, 츄, 츠」의 「ㅊ」획은 「ㅎ」획의 1획과 「ㅈ」의 필법과 같다.

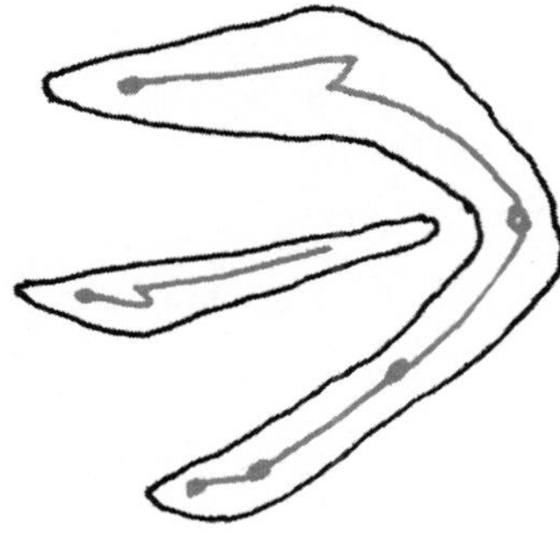

「카, 캬, 커, 켜, 키」는 「가, 거」의 「ㄱ」필법과 같으나, 「ㅋ」의 가운데 획은 「ㄱ」의 중앙에서 가로획으로 짧고 가늘게 긋는다.

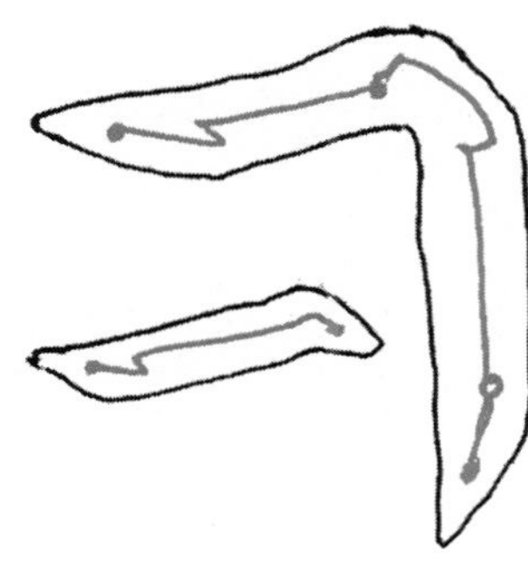

「고」의 필법 ㄱ과 같으나 세로획 길이를 좀더 길게 하고 사이 가로획을 가늘게 한다.

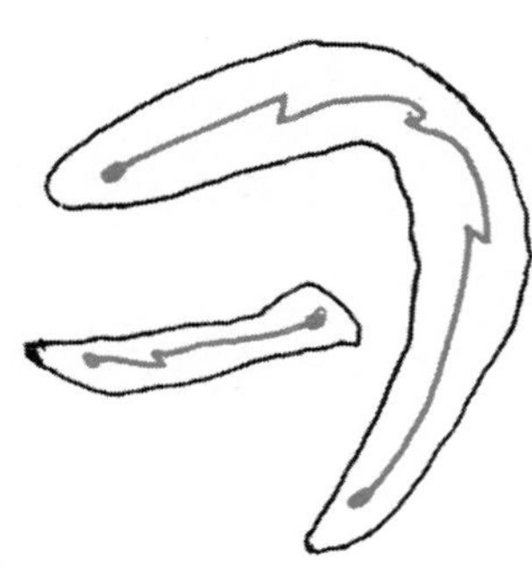

「구」의 ㄱ모양으로 하고 내리는 획에서 좀더 높이하고 가운데 가느다란 가로획을 한다.

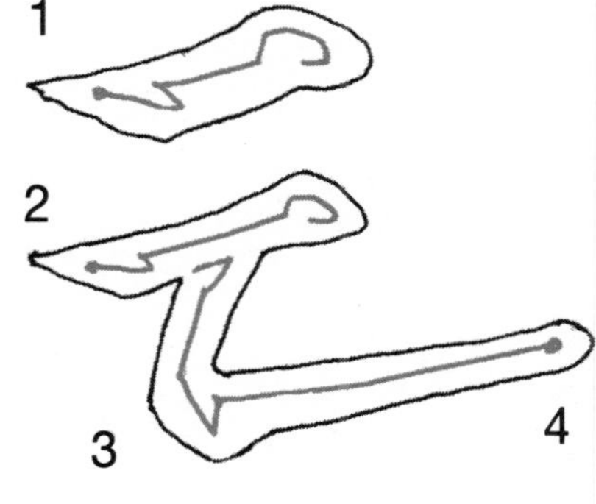

「타, 티」의 「ㅌ」획에서 1의 가로획은 「ㄷ」획 첫 가로획과 같이 강하게 긋고 2획의 가로획은 좀 약하게 그으며 3의 세로획과 4의 가로획은 「다, 디」의 필법과 같다.

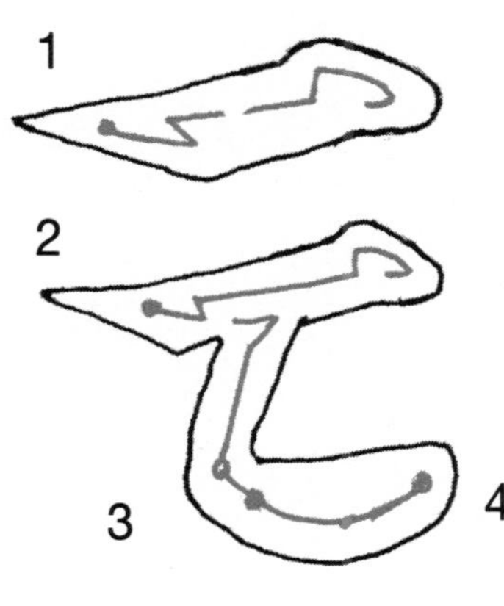

「터」의 「ㅌ」획에서 1의 가로획은 「ㄷ」획 첫 획과 같이 강하게 긋고 2획의 가로획은 좀 약하게 그으며 3의 세로획과 4의 가로획은 「더, 뎌」의 필법과 같다.

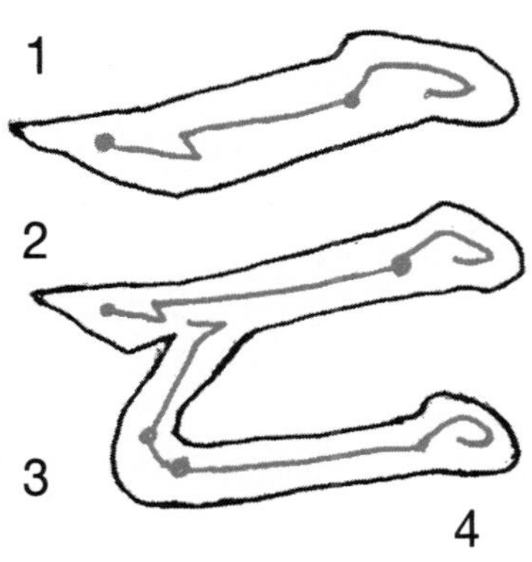

「토, 투, 튜, 트」의 「ㅌ」획에서도 1과 2의 가로획은 「타, 터」의 필법과 같고 3의 세로획과 4의 가로획은 「도, 됴, 두, 듀, 드」의 필법과 같다.

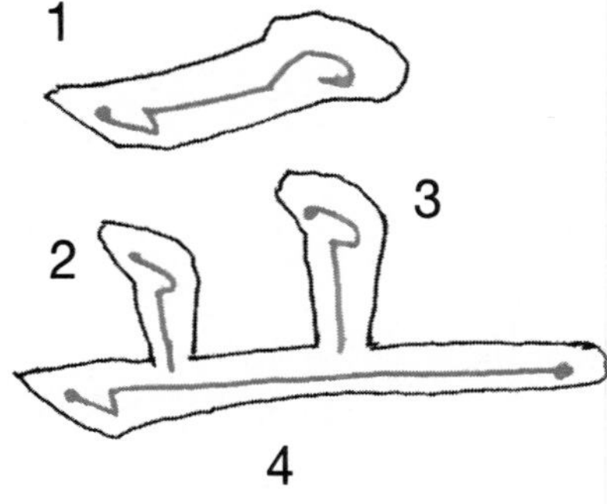

「파, 피」의 「ㅍ」획 [1]의 가로획은 「ㄷ」의 [1]획과 같고 [2]획과 [3]획은 「ㅛ」의 [1], [2]획 또는 「ㅂ」의 [1], [2]획과 같으나, [4]의 가로획은 세로획까지 길게 그어서 살짝 누르고 붓을 든다.

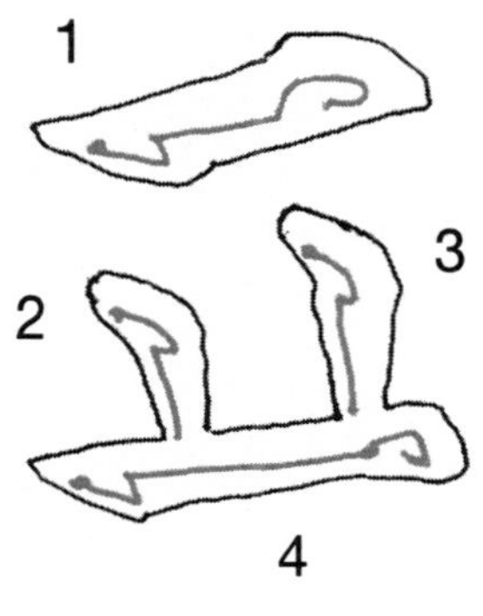

「펴, 폐」의 「ㅍ」획은 [1], [2], [3]까지는 필법이 같고 획은 짧게 그어서 누르고 붓을 든다.

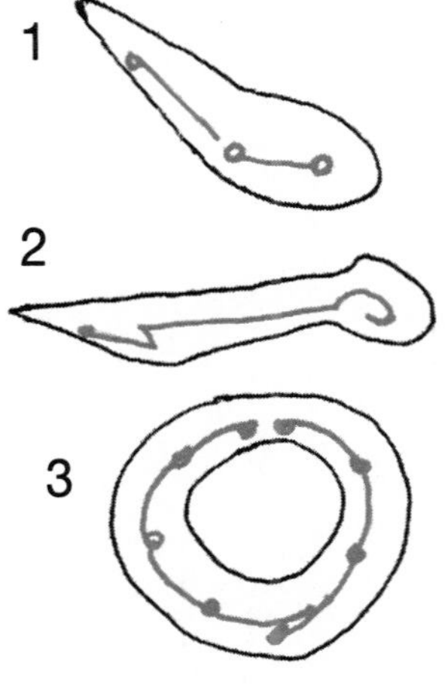

「하, 햐, 히」의 「ㅎ」 획에서 [1] 획은 자음 중심의 왼쪽에서 약45도의 각 아래로 빗겨 강하게 놓고 수평으로 눌렀다가 붓을 들고 [2]의 가로획은 붓을 가늘게 「一」획과 같이 긋는다. [3]의 「ㅇ」획은 정자 필법과 같다.
「허, 혀」에서 「ㅎ」획의 필법은 같으나, 놓는 자리는 「거, 겨」의 「ㄱ」획은 「가, 갸」의 필법으로 써야 한다.

□ 정자체 자음 · 모음

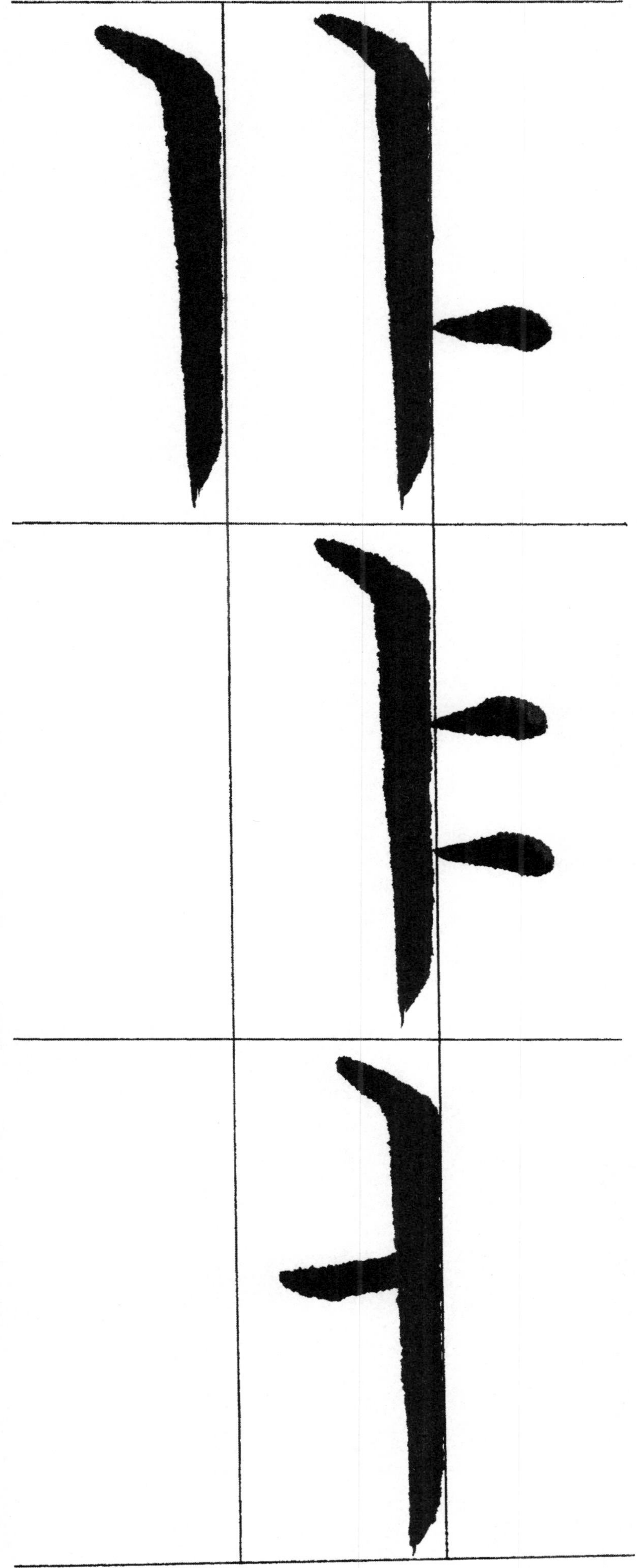

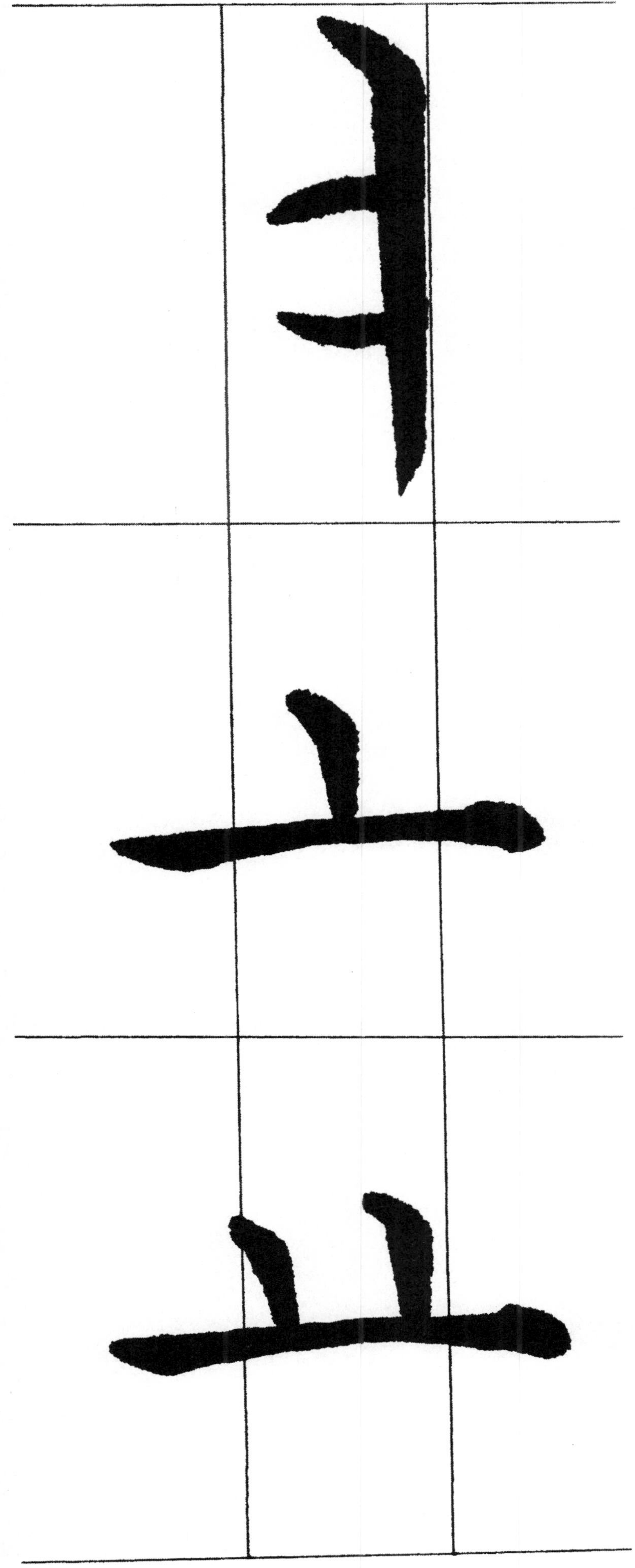

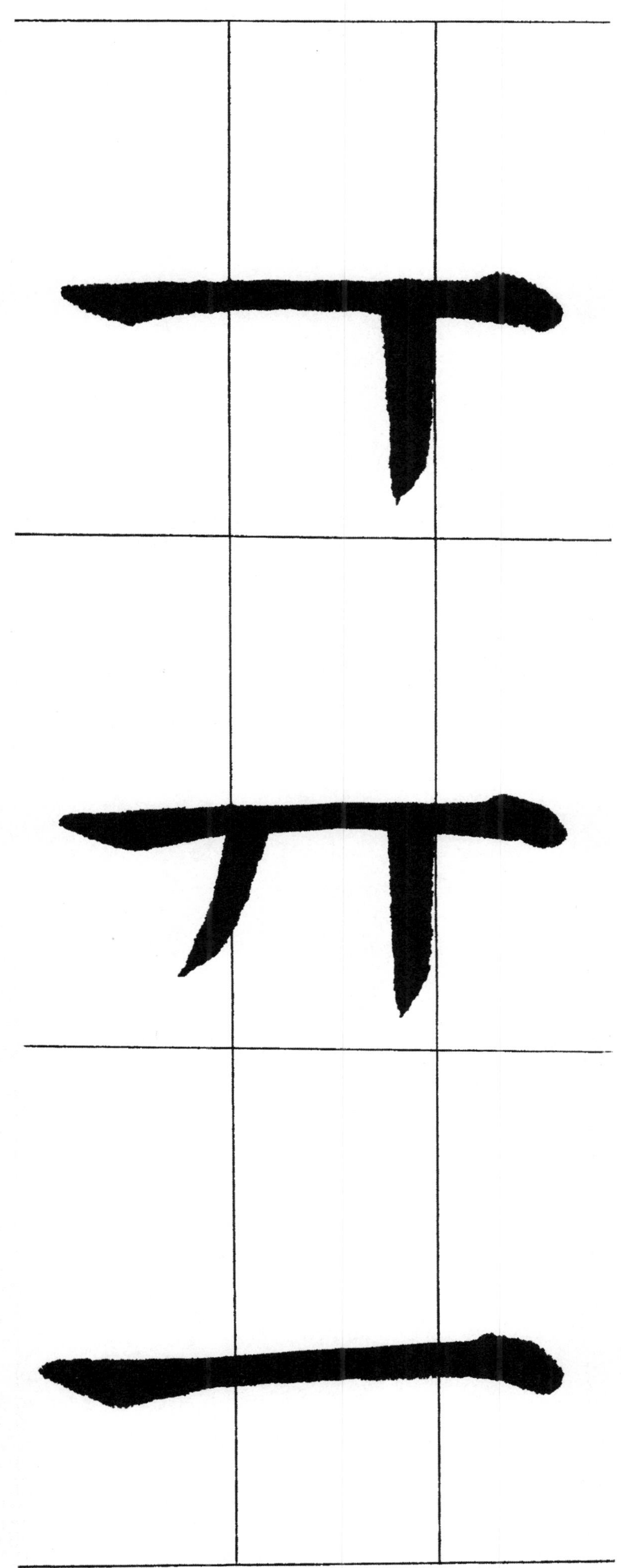

가
갸
거

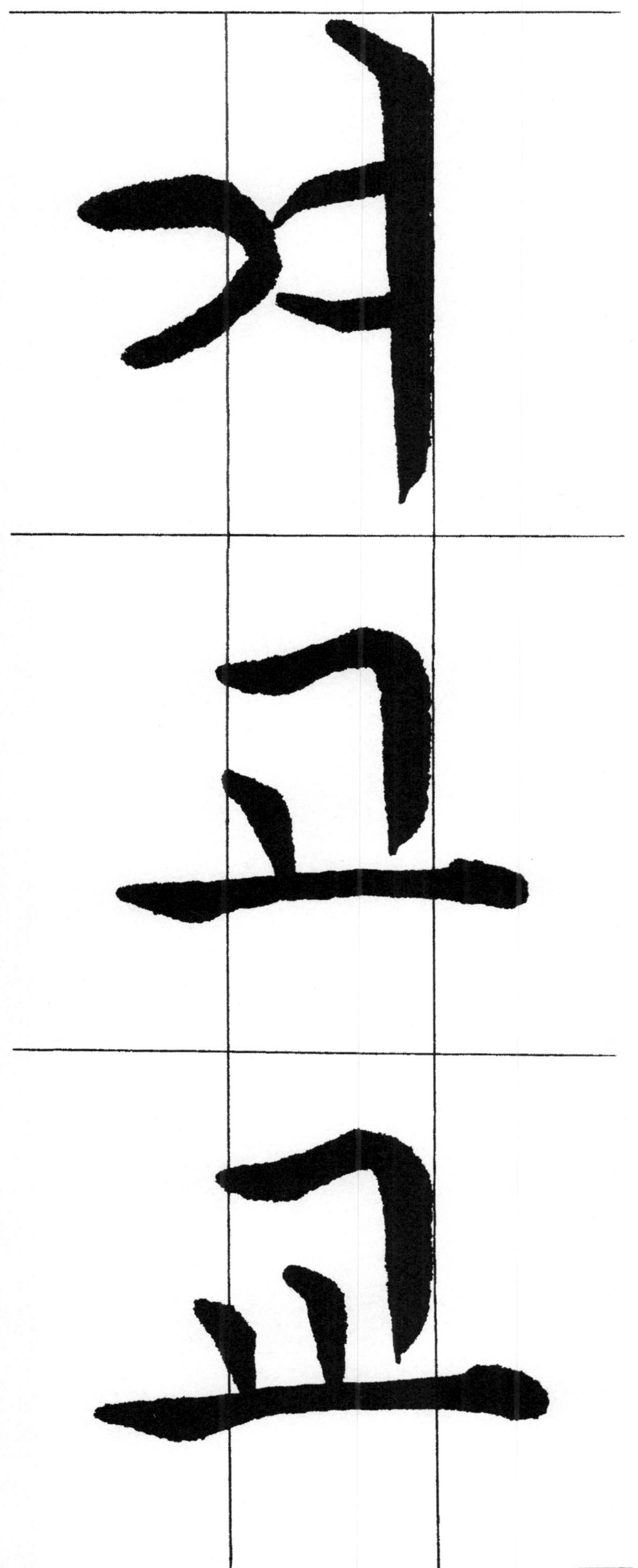

겨
교
꾜

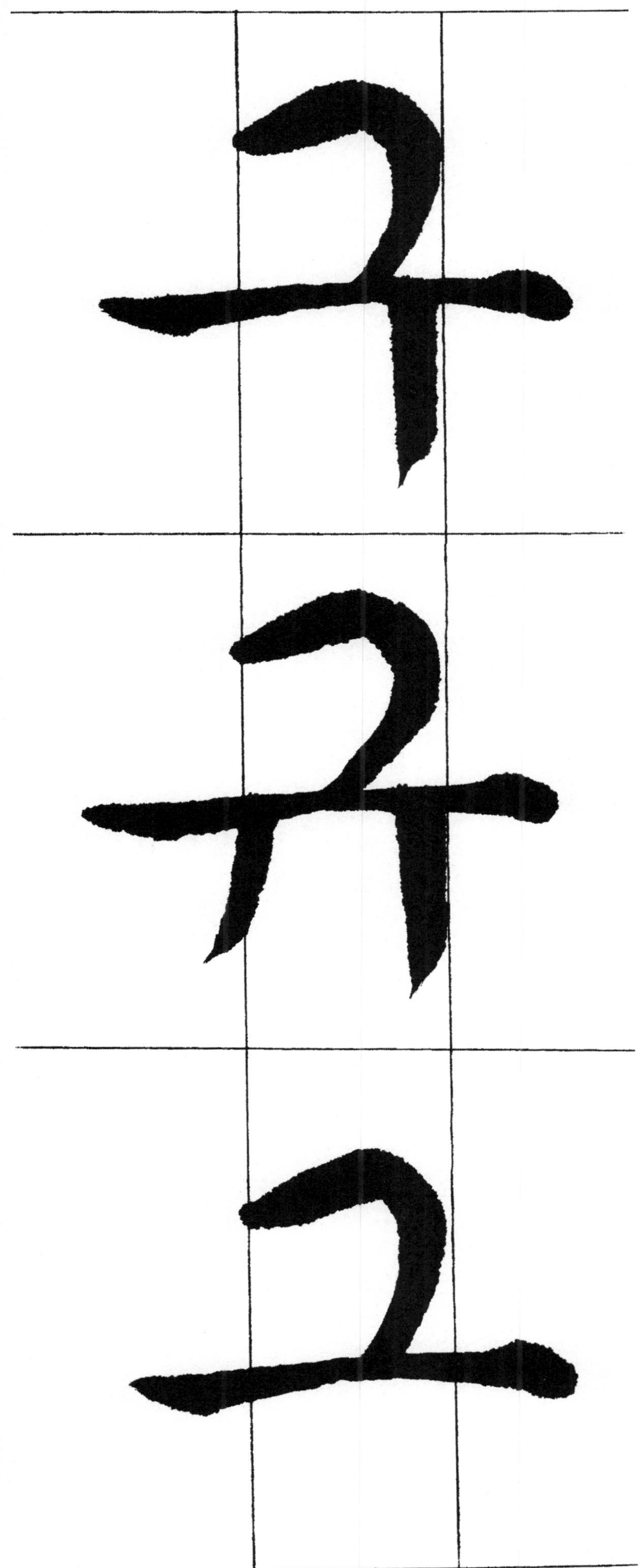
구
규
고

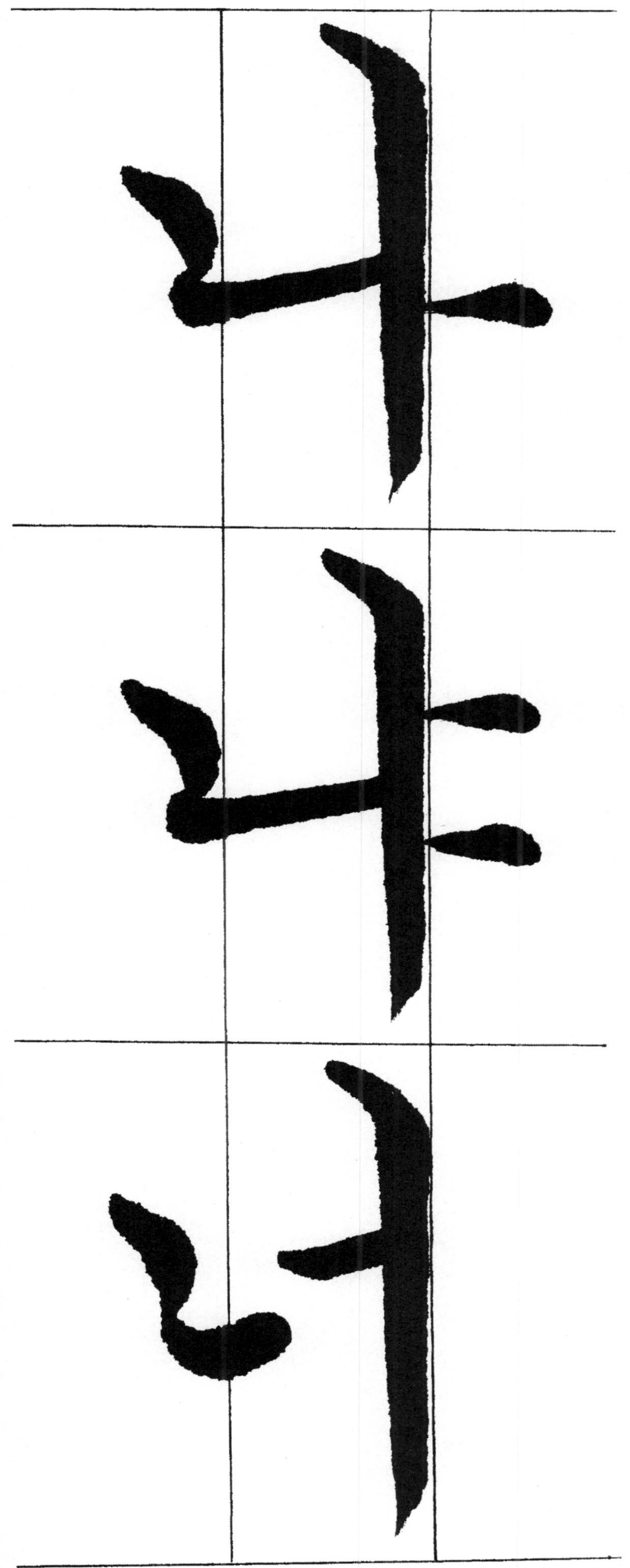
나
냐
너

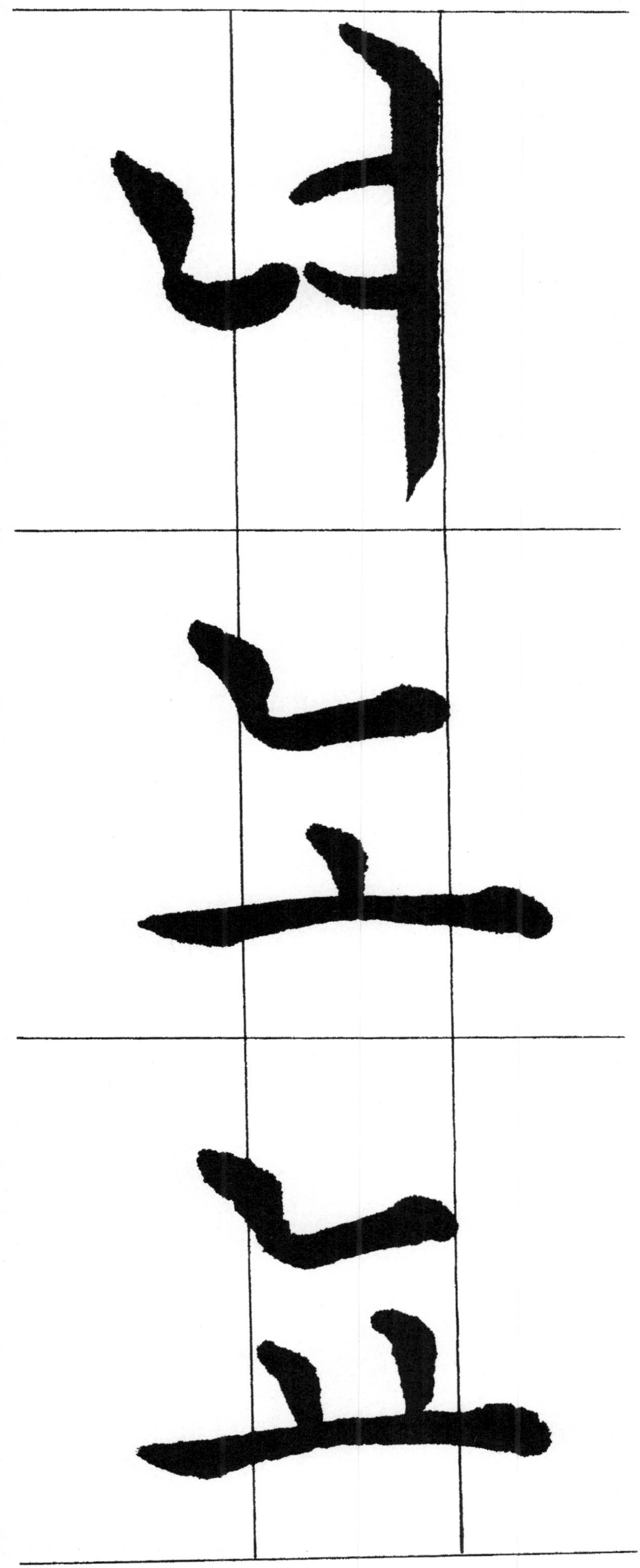
녀
노
뇨

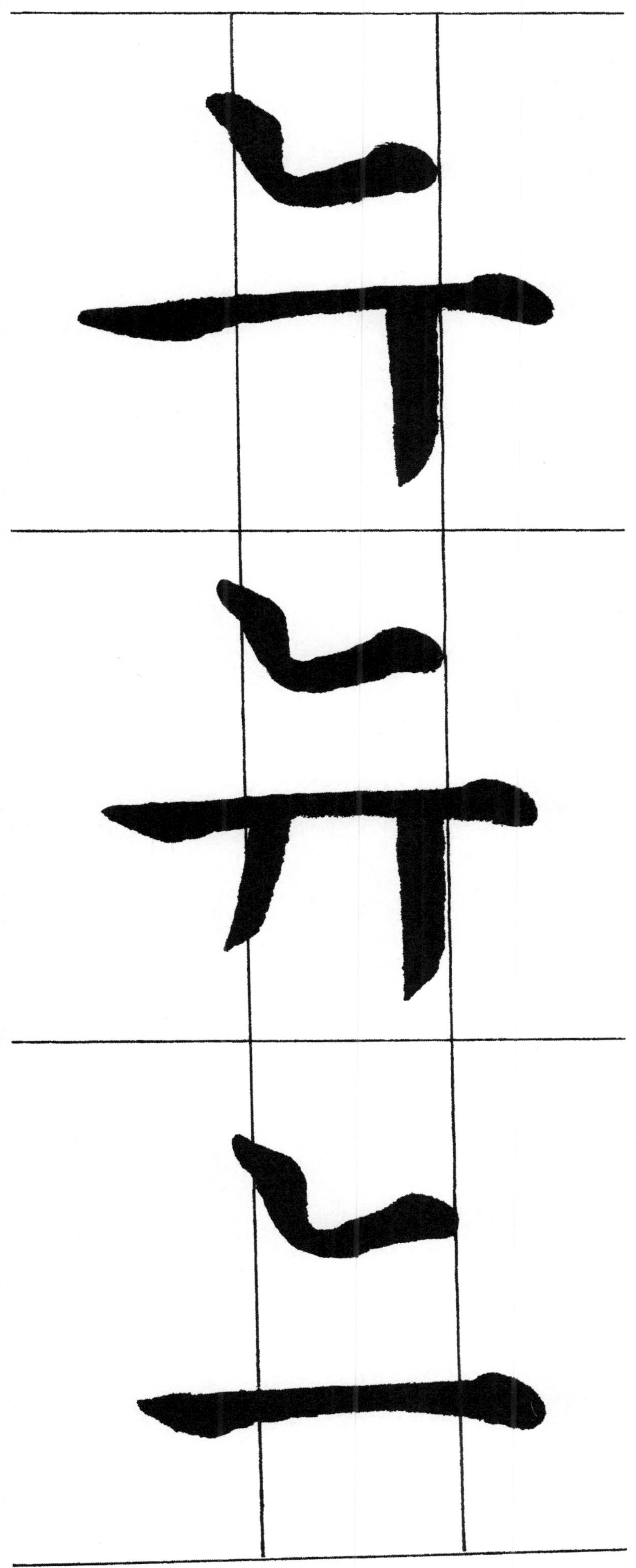

다
댜
더

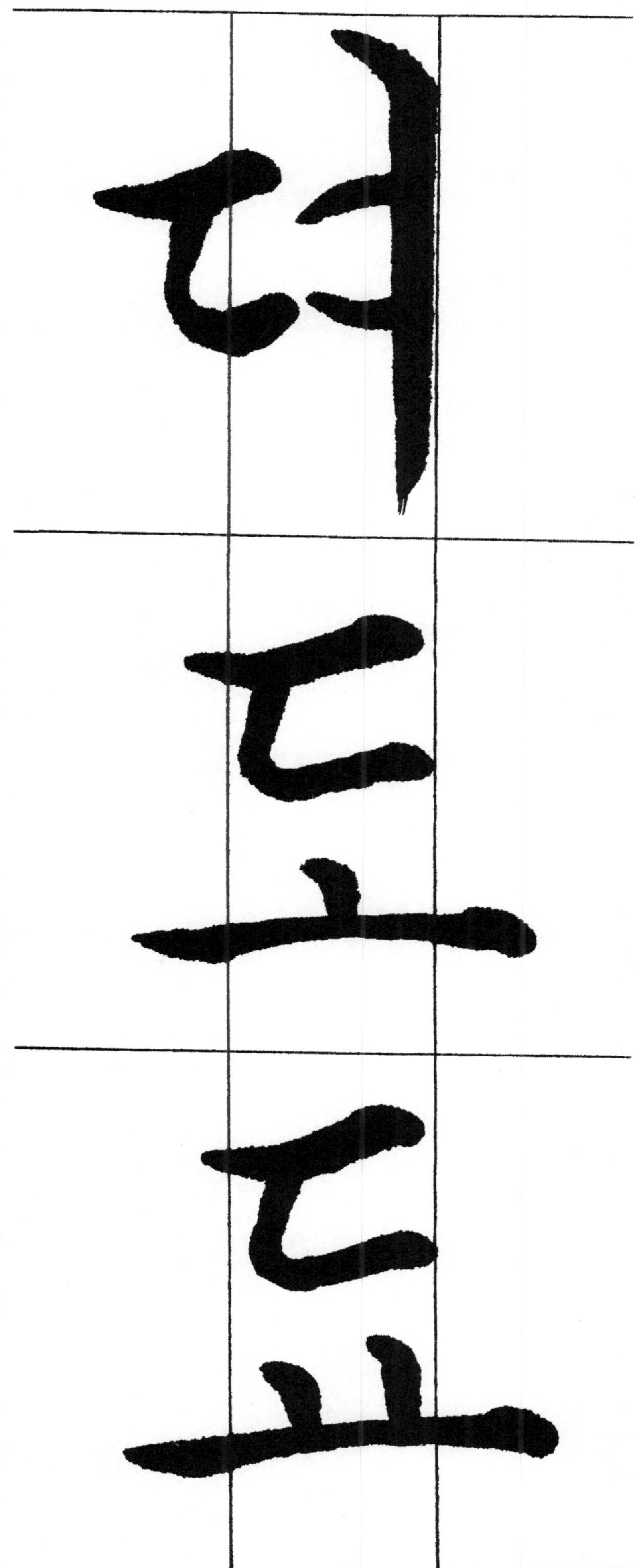
더
도
됴

카
캬
커

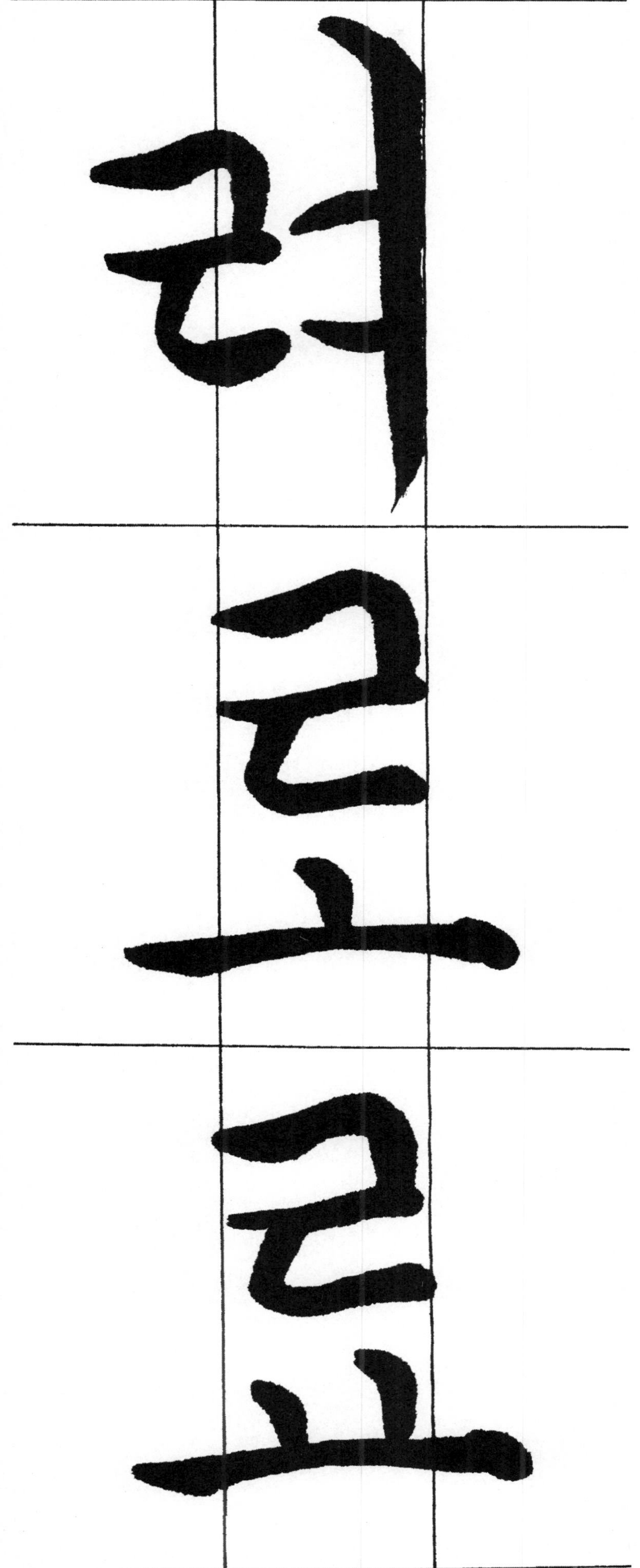
켜
코
쿄

쿠
큐
크

마
먀
머

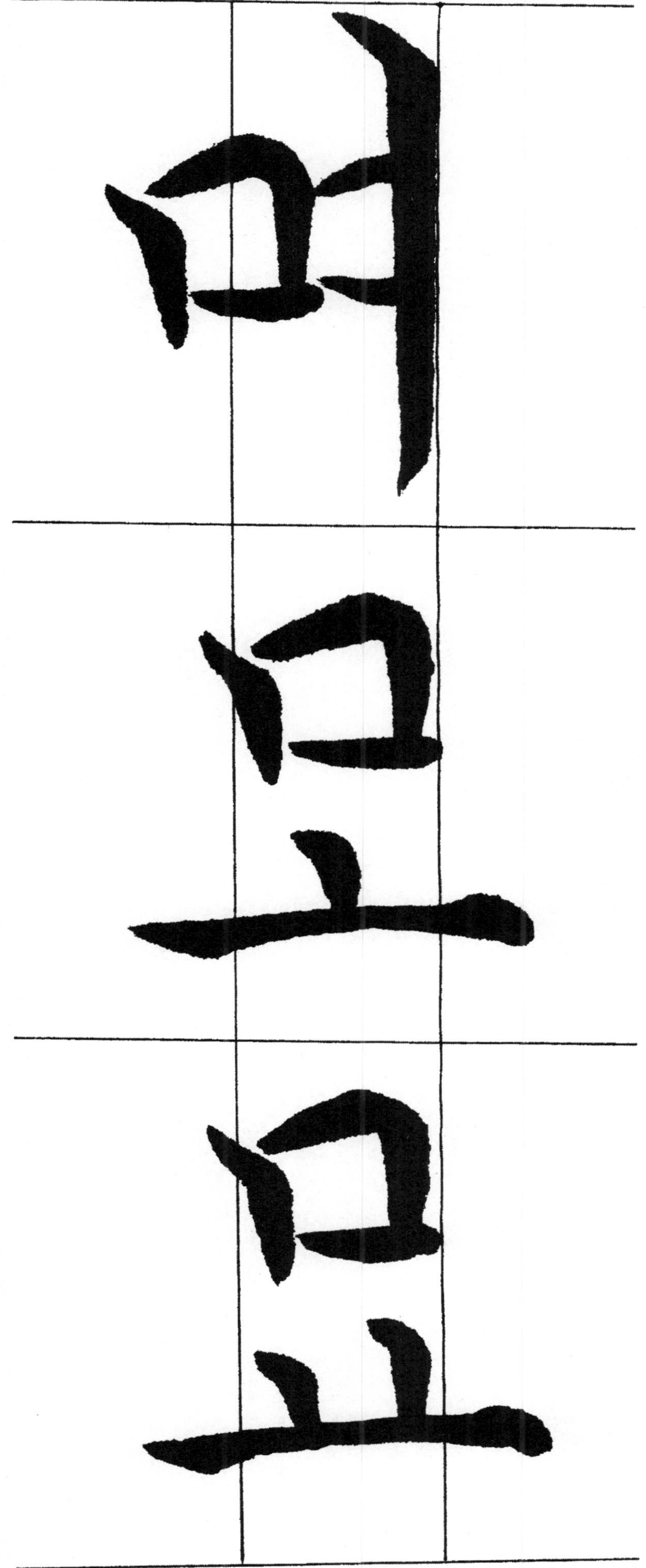

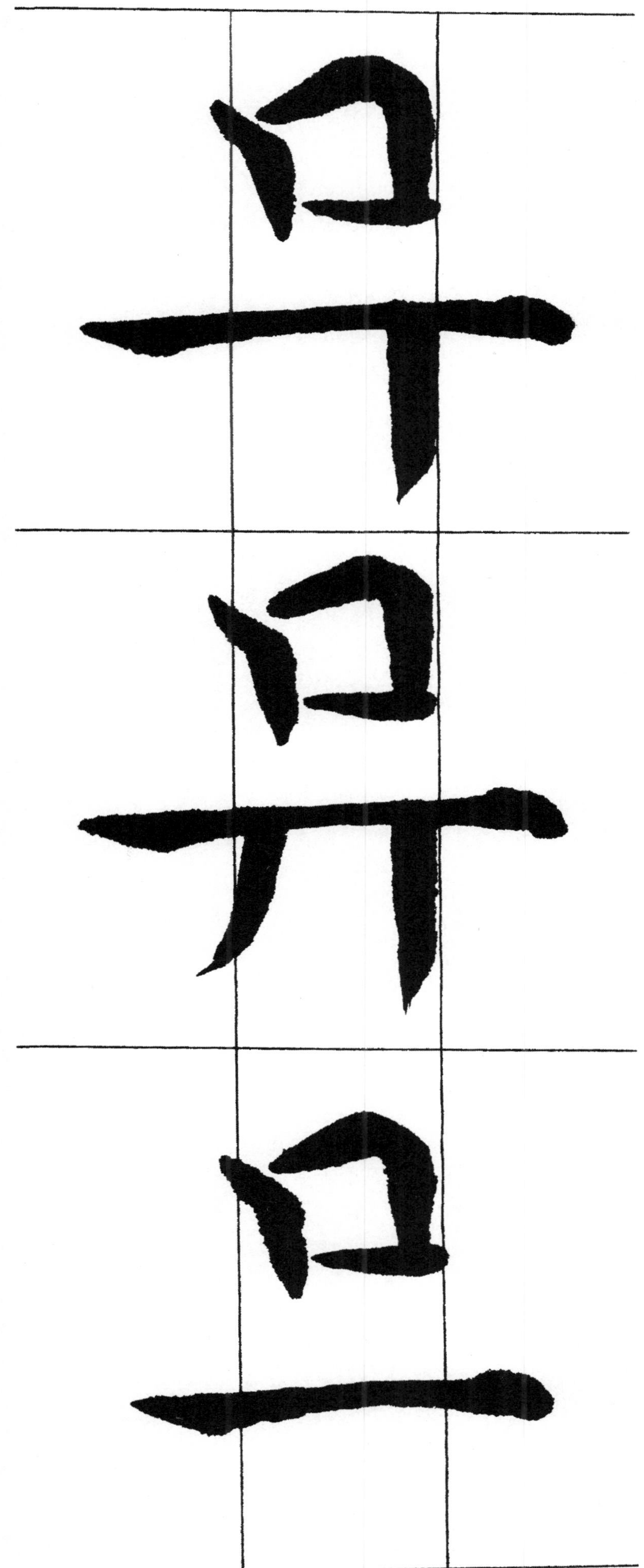

우
유
으

마
먀
머

며
모
묘

부
뷰
브

사
샤
서

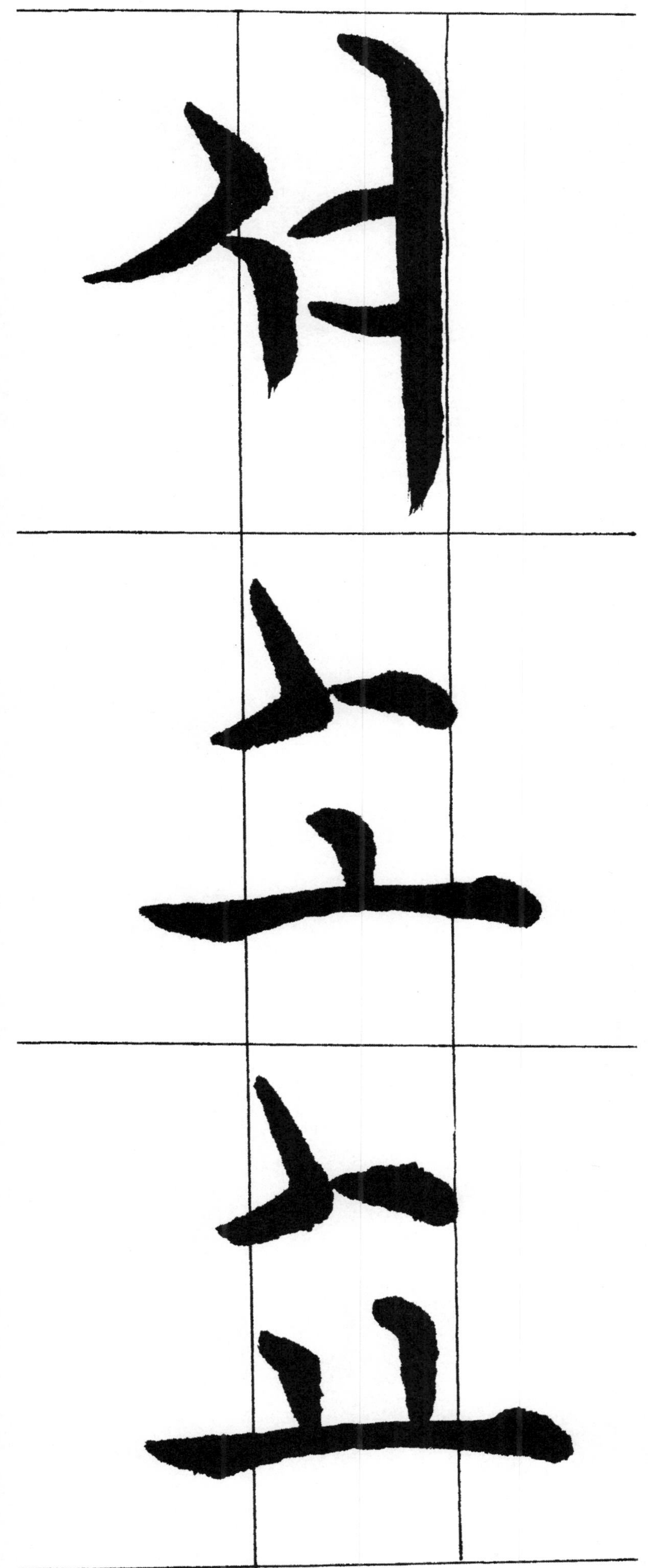

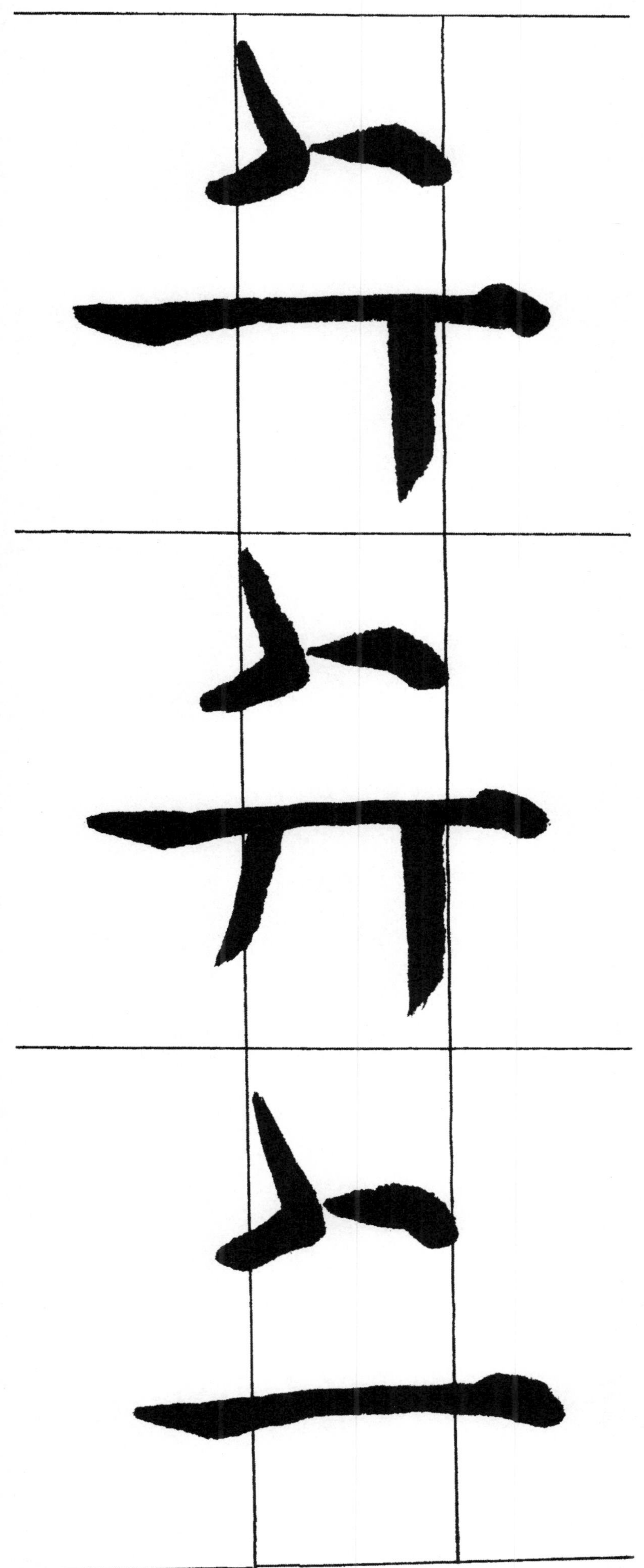

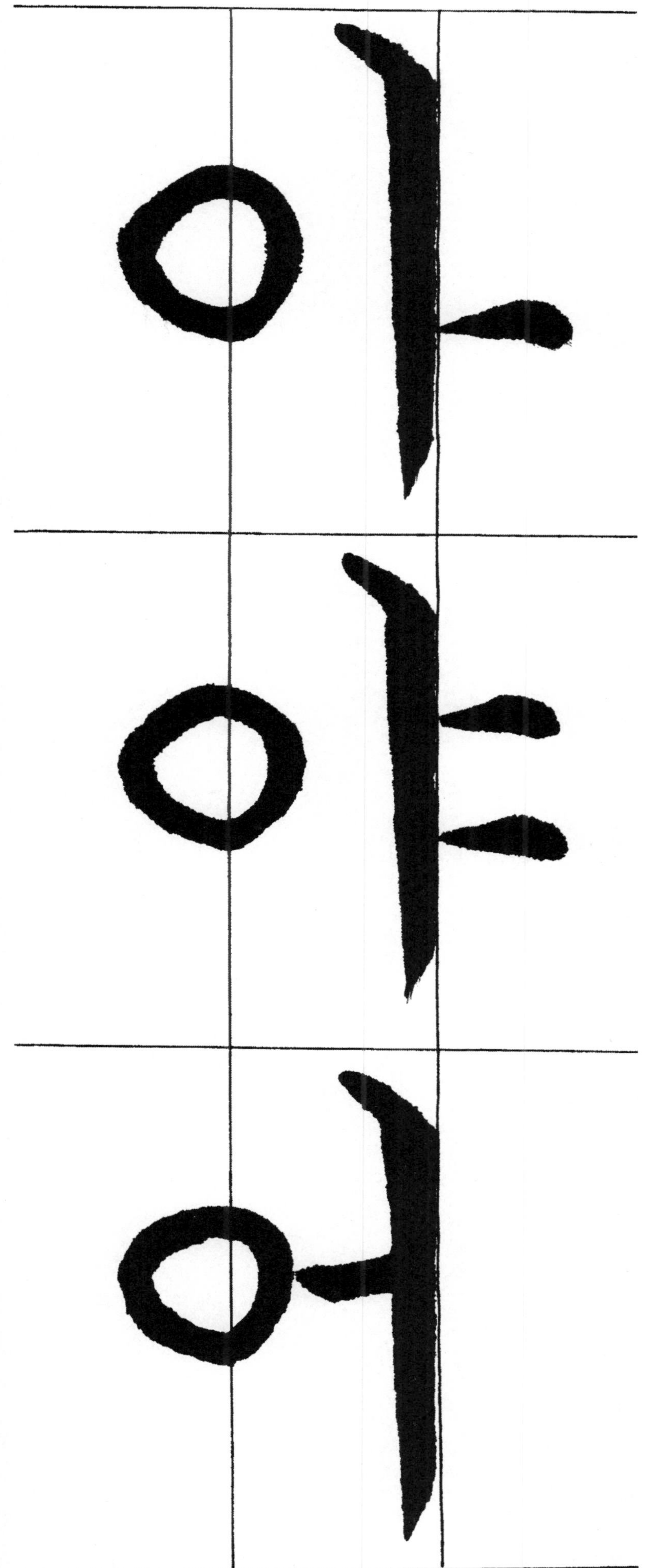
아
야
어

아
야
어

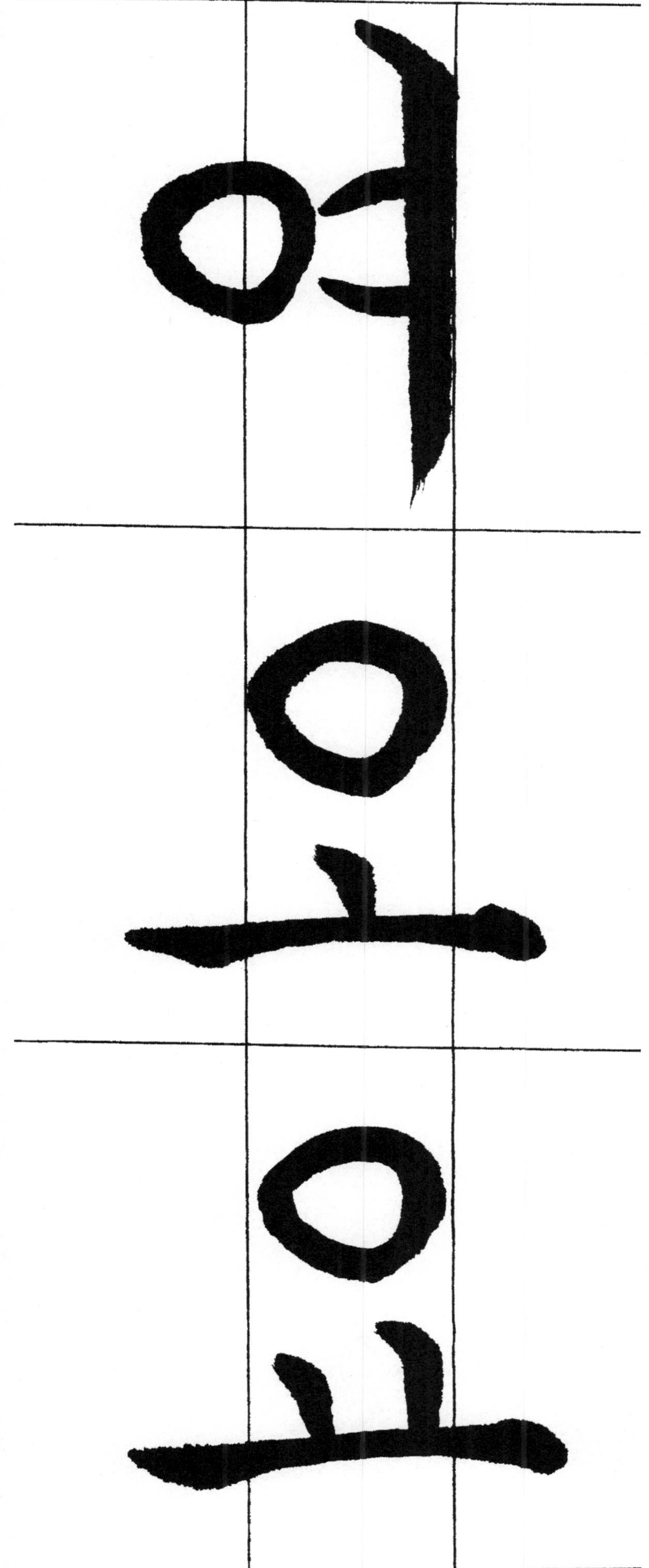
여
오
요

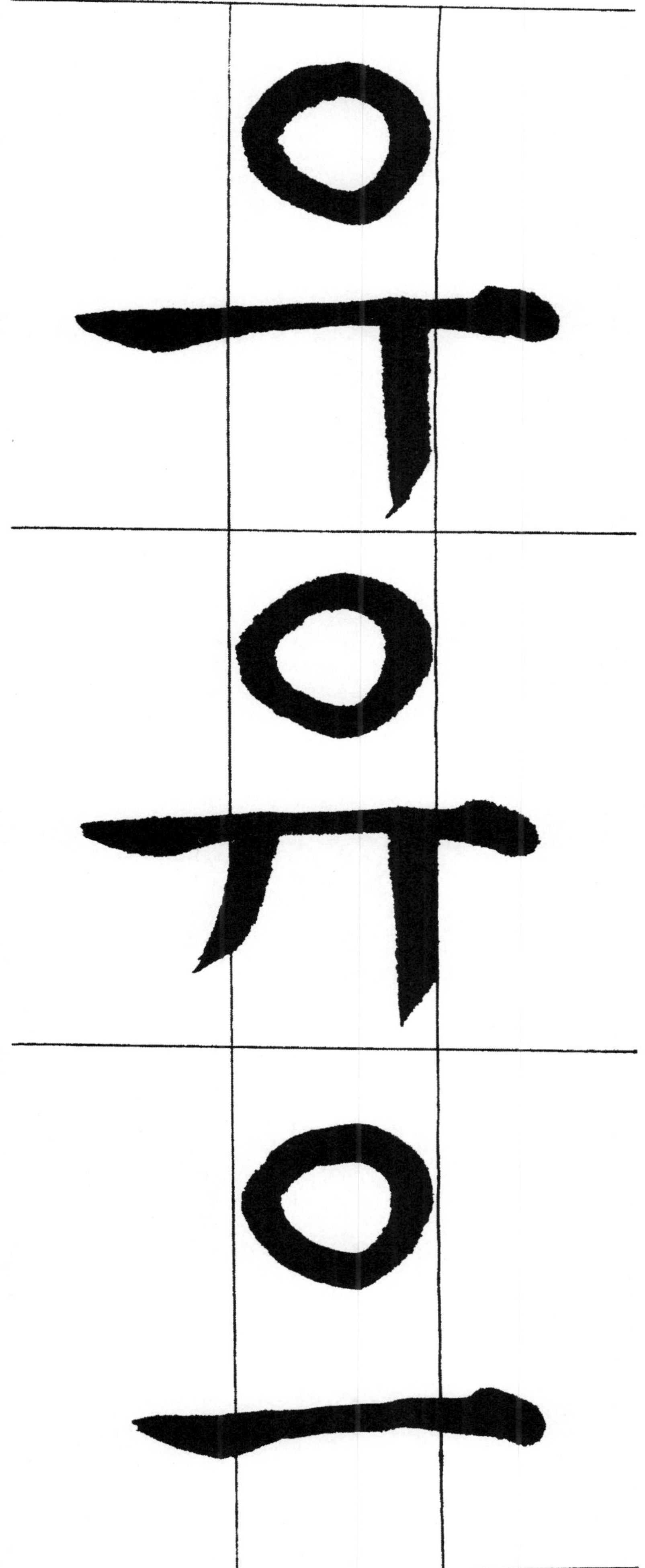
우
유
으

아야이

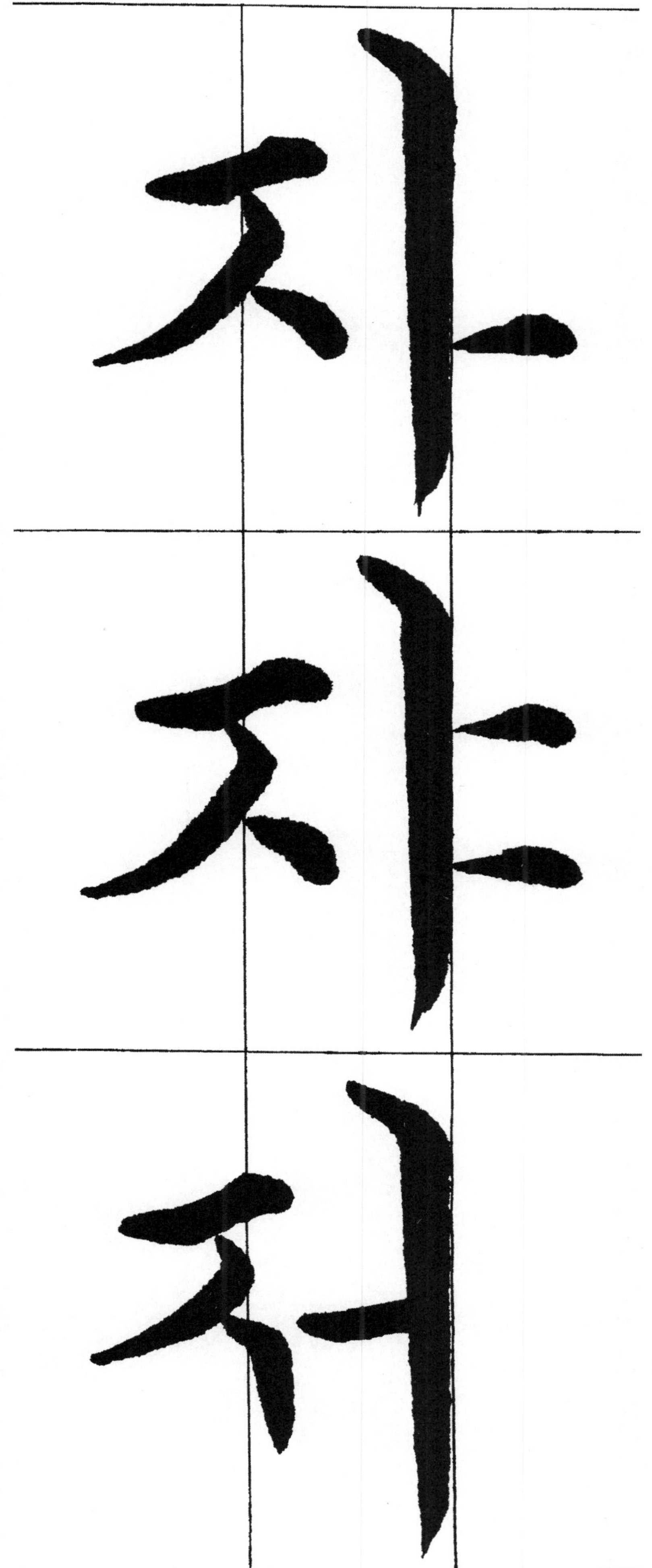
자
쟈
저

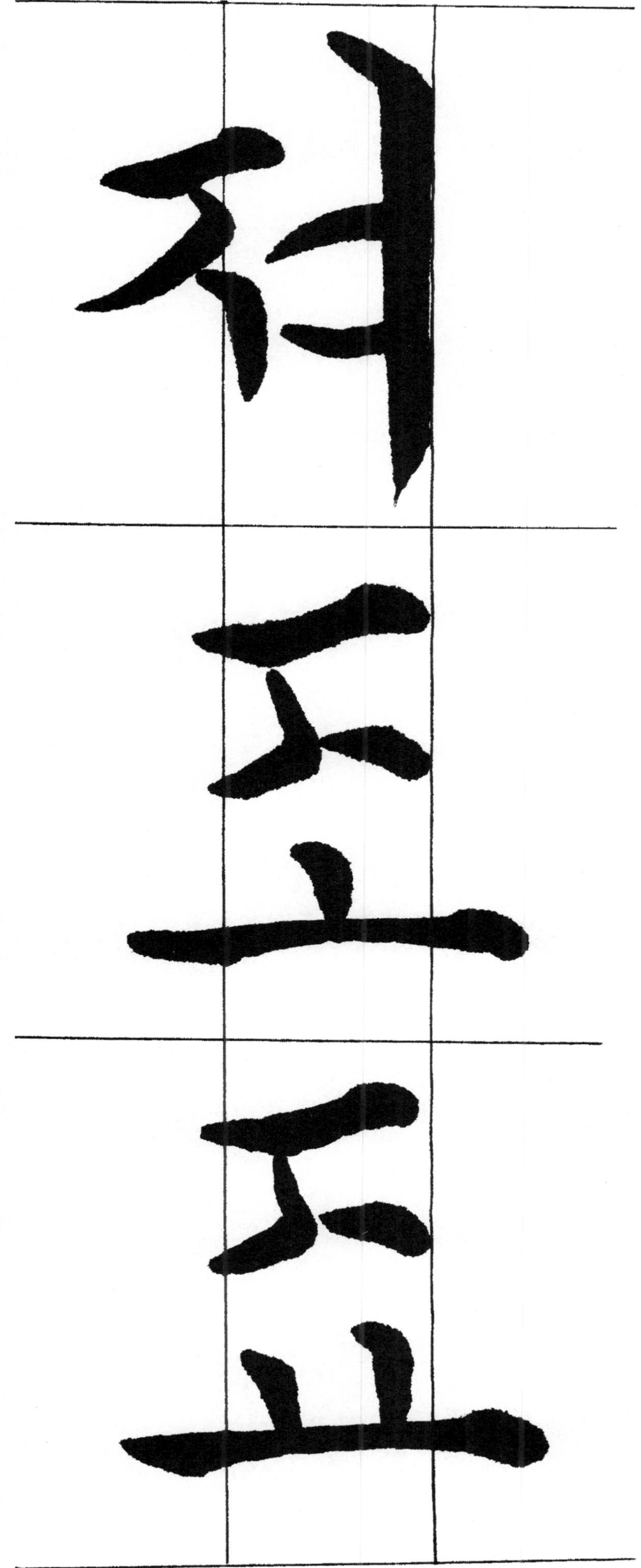

저
조
죠

주
쥬
즈

차
챠
처

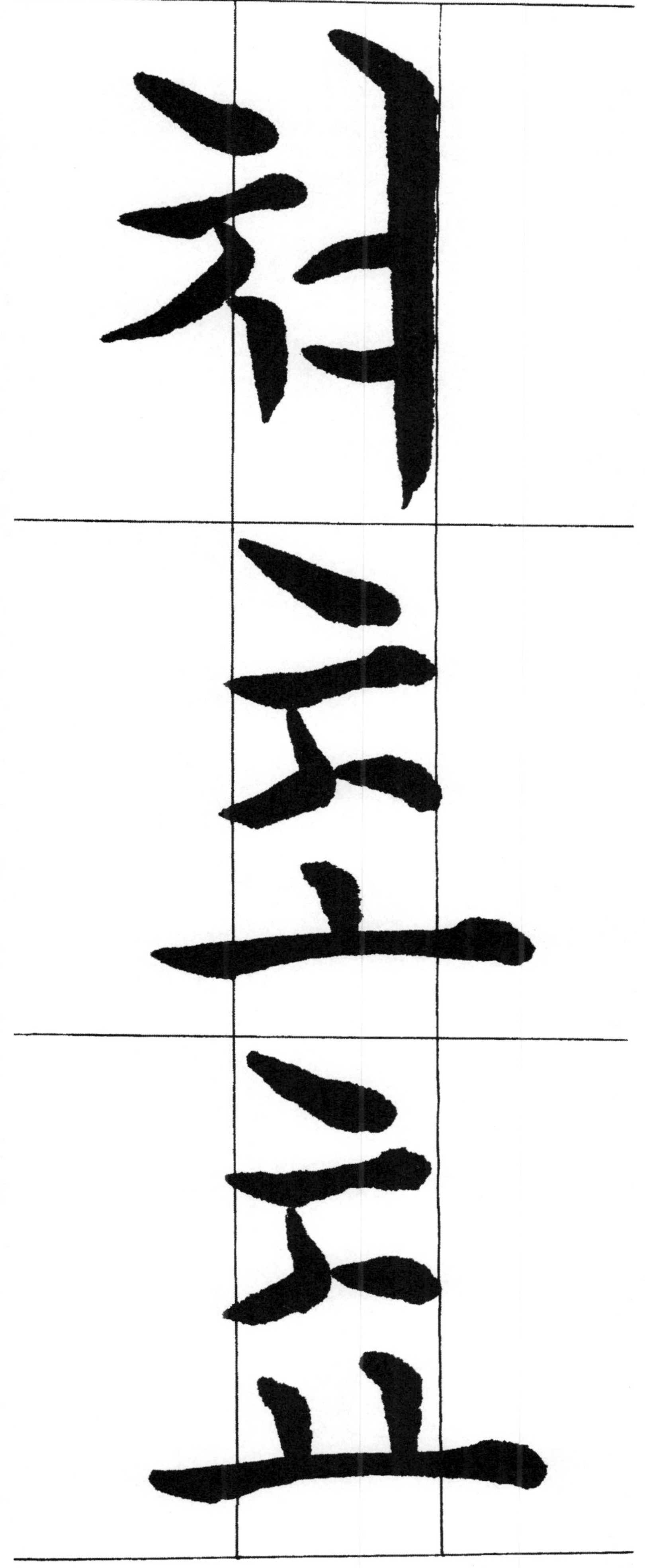
처
초
쵸

카
캬
커

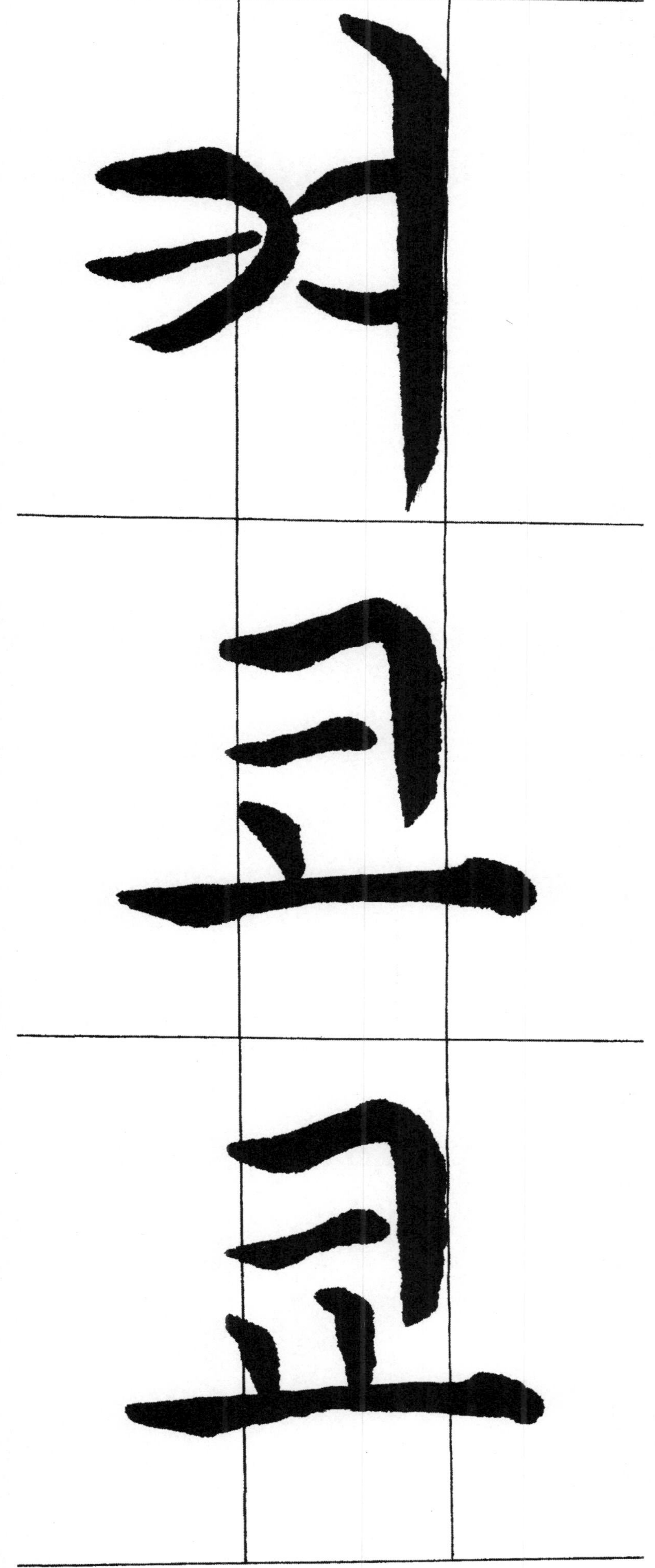

쿠

큐

크

타
탸
터

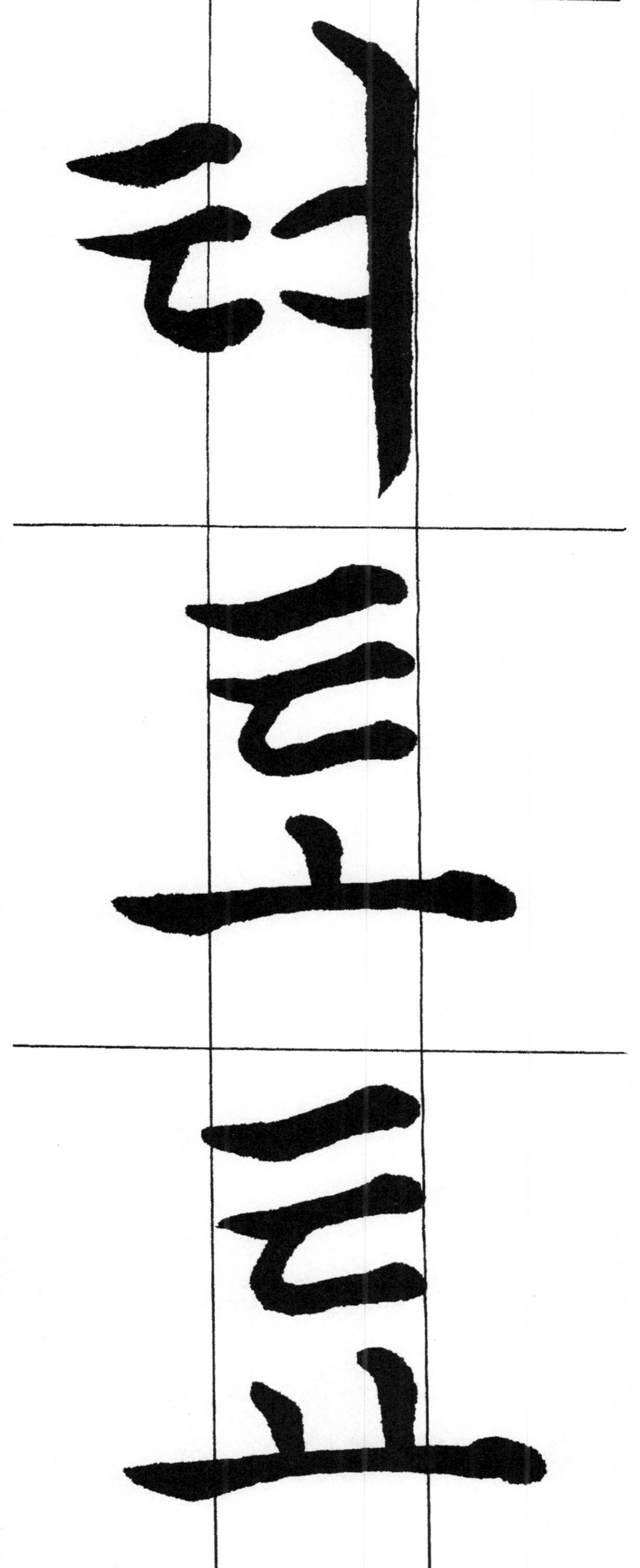
켜
토
툐

투
튜
트

파

퍄

퍼

퍼

표

푸

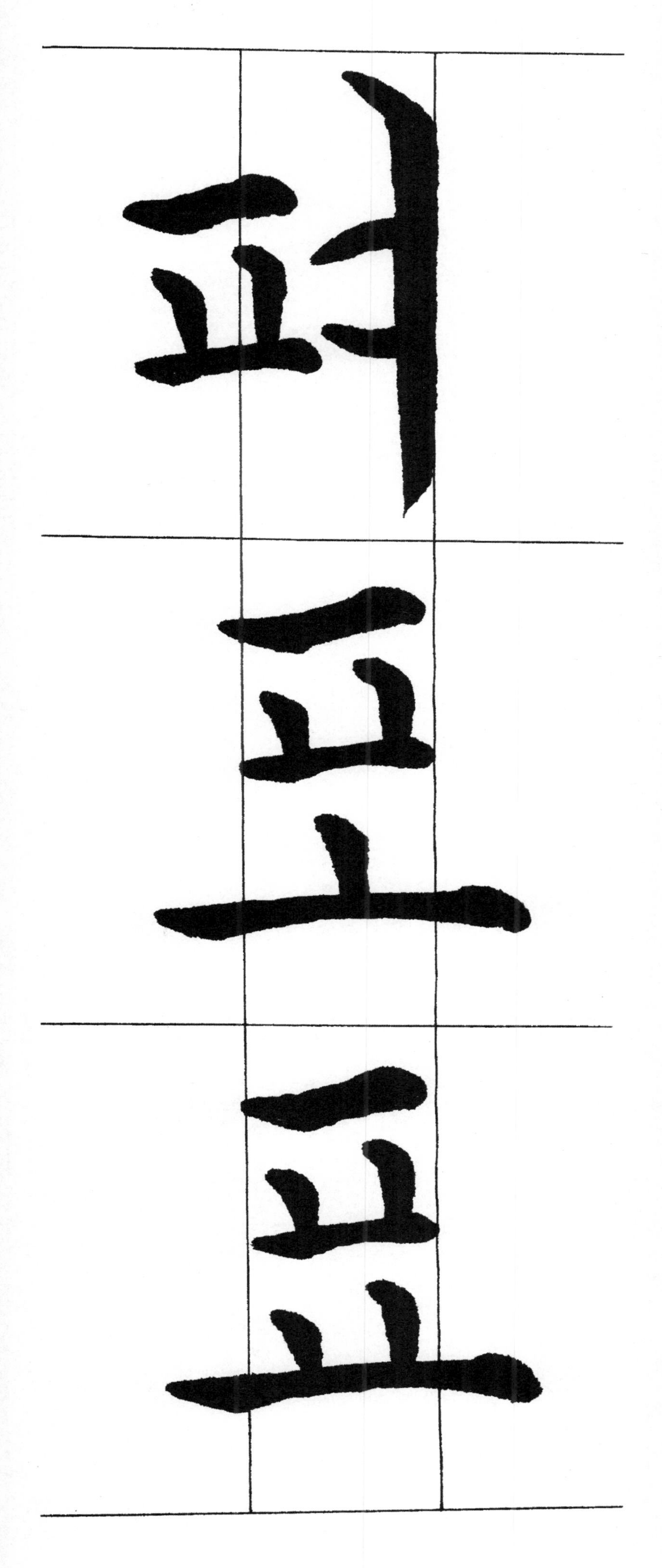

무
뮤
므

하
햐
허

혀
호
효

후
휴
흐

□ 정자체 겹모음

개
게
과

내
네
놔

대

데

되

쾌
퀘
쾨

매
메
뫼

배
베
뵈

새
섀
쇠

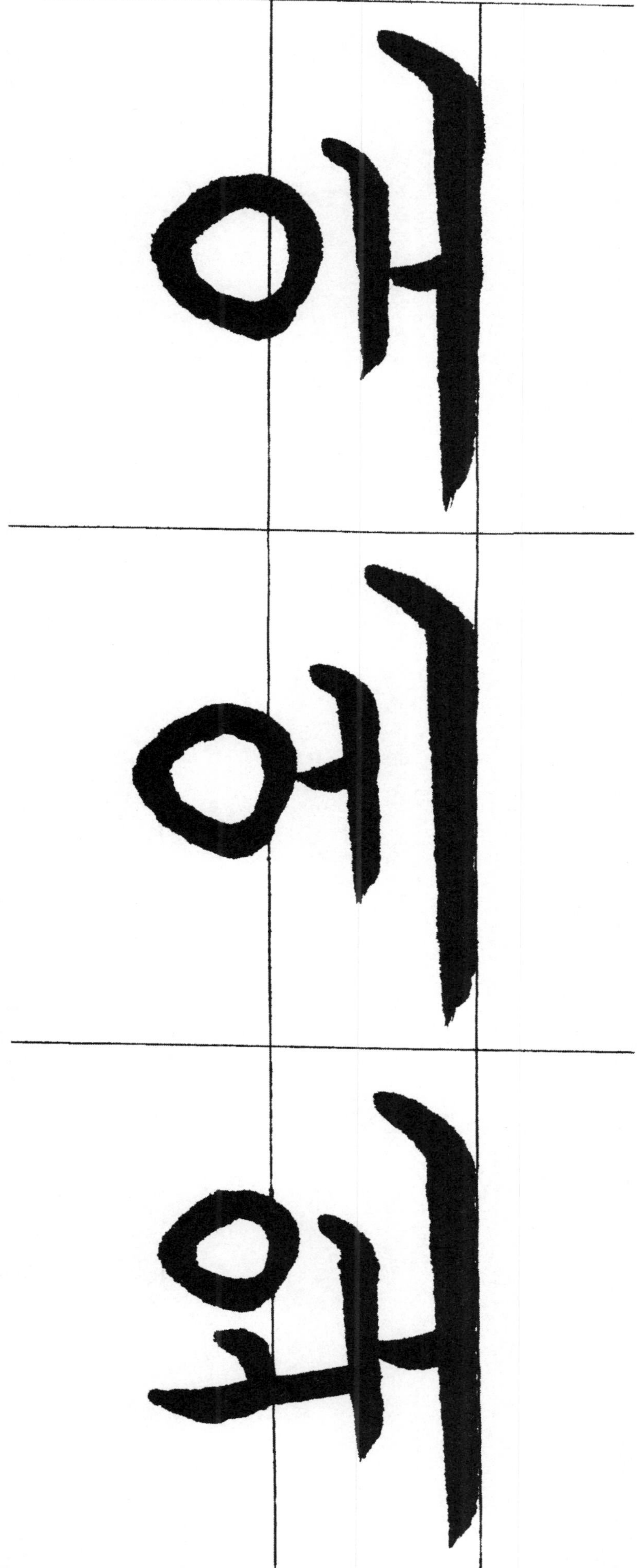
애
에
와

재
쟤
줘

캐
케
쾌

태
테
퇴

패
페
폐

해

혜

화

□ 정자체 받침

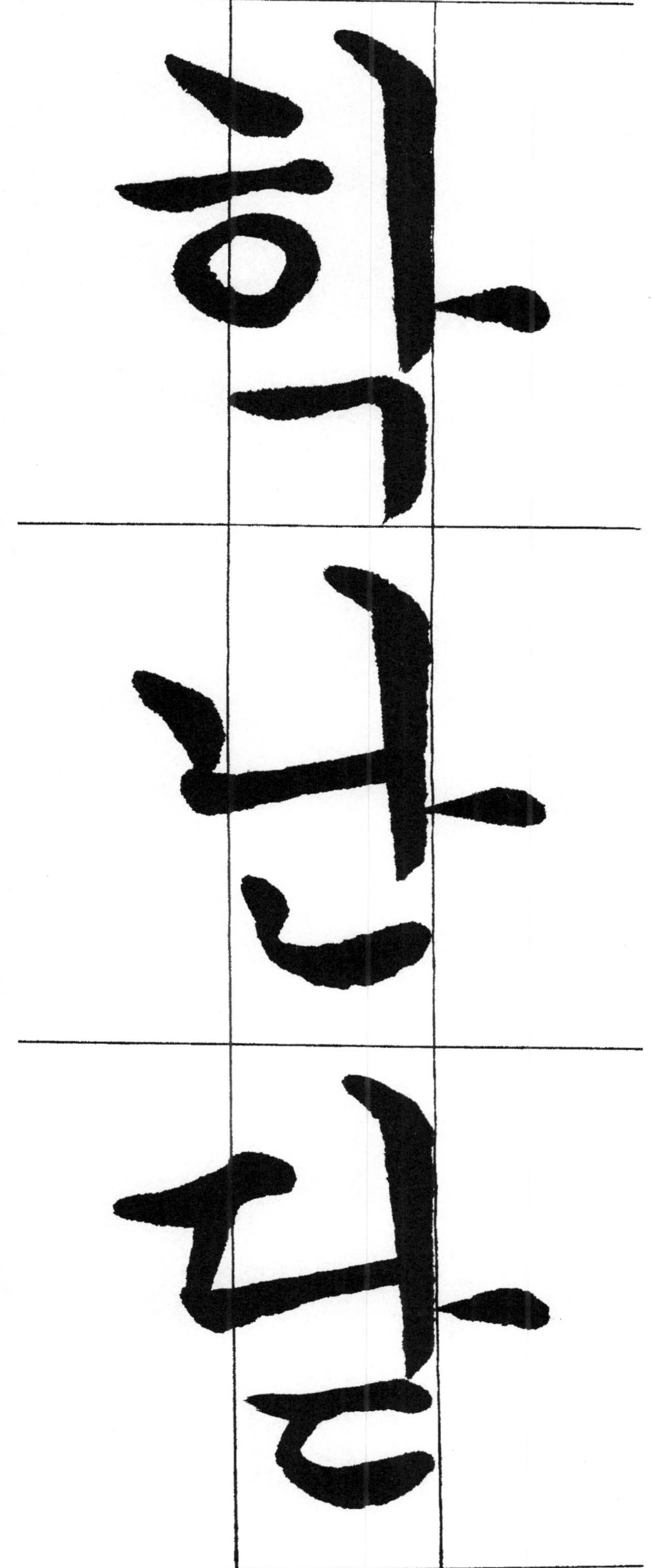
학
난
닫

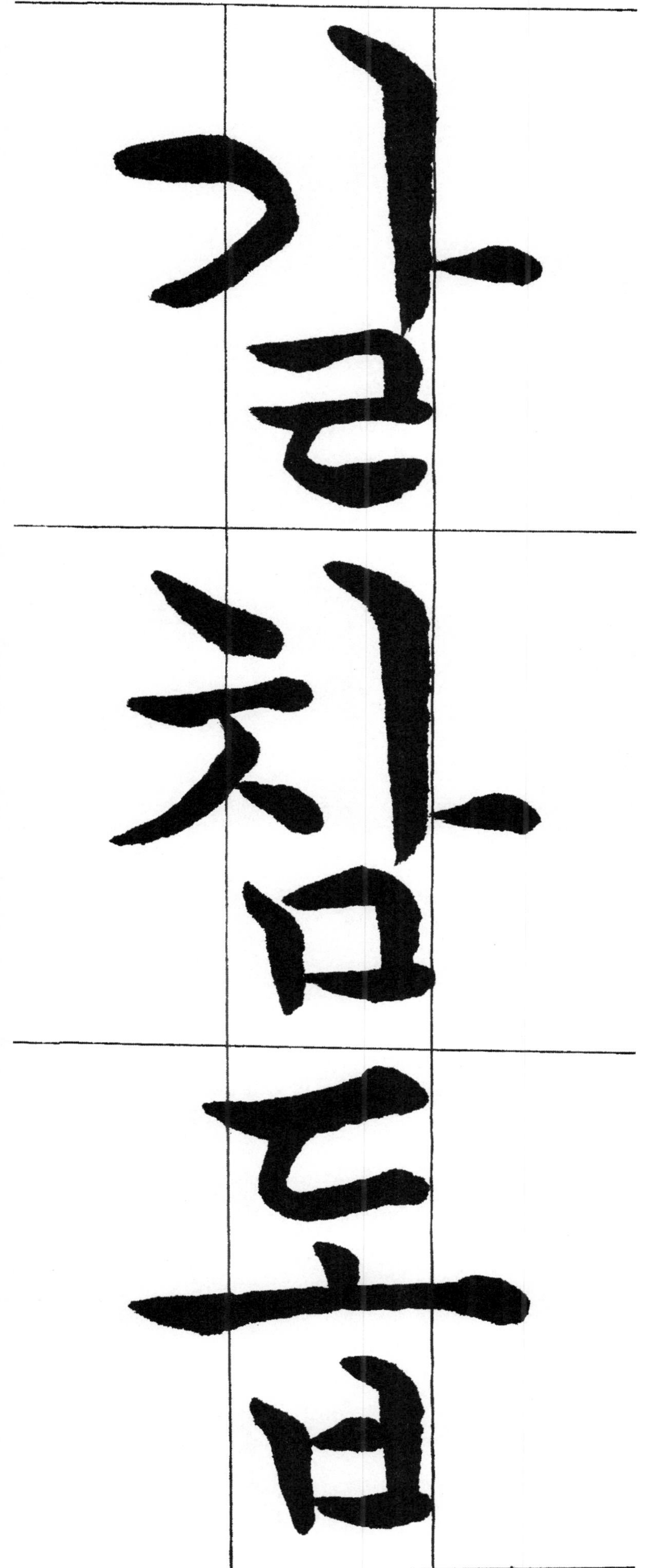
갈
참
듭

멋
향
젖

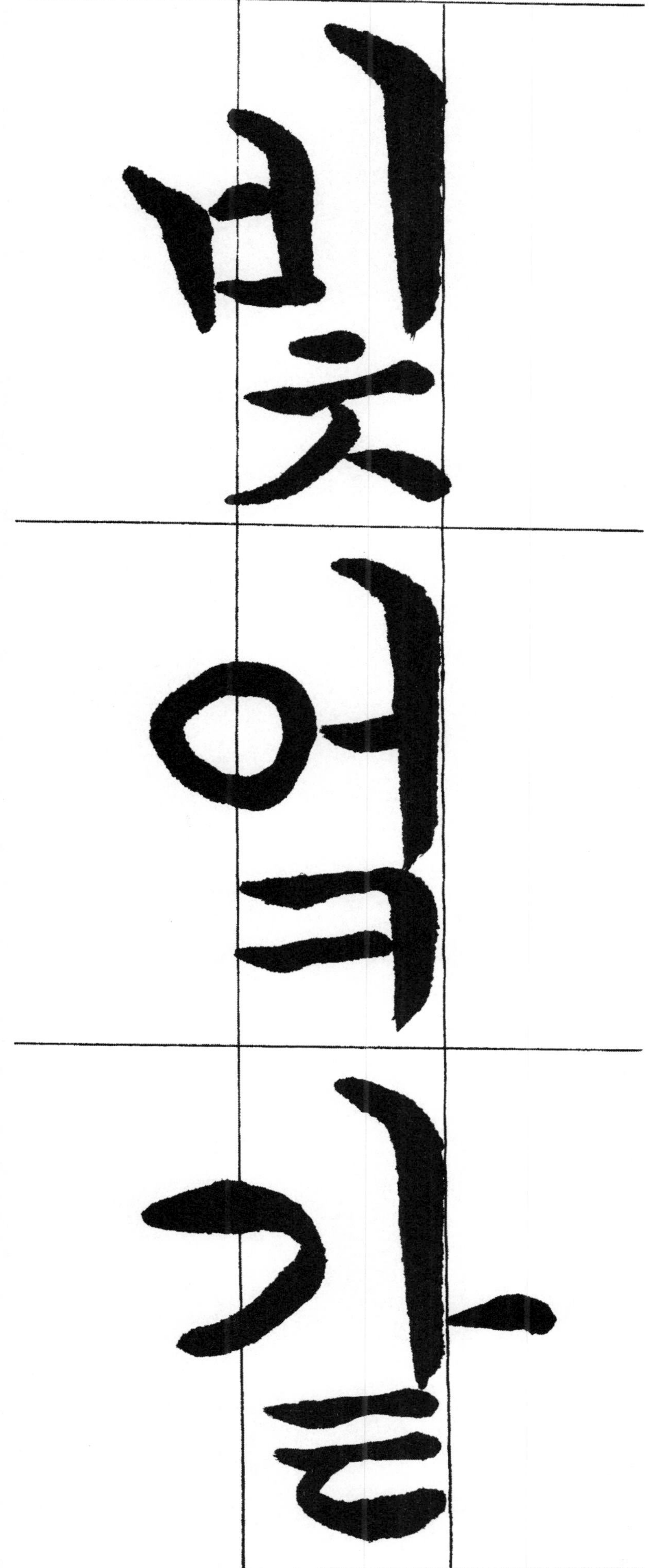

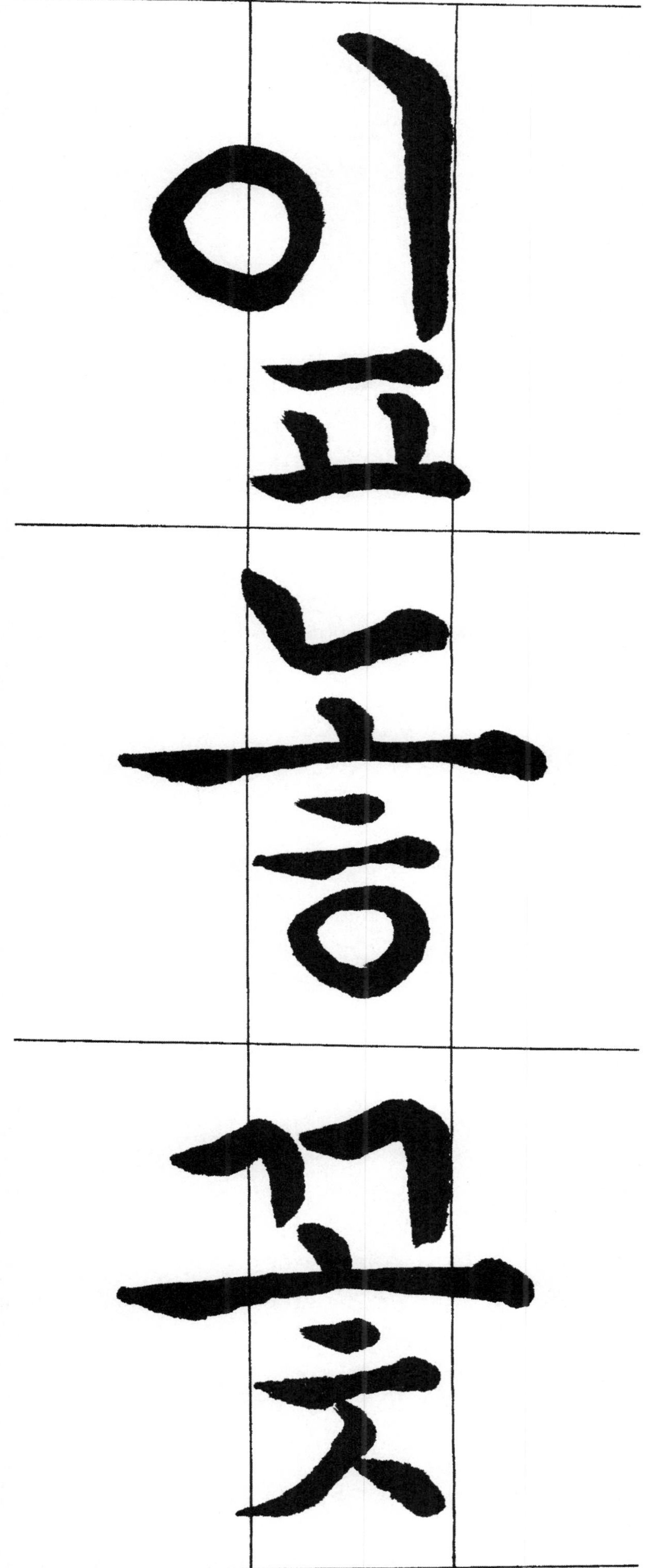

이
르
고

□ 정자체 낱말

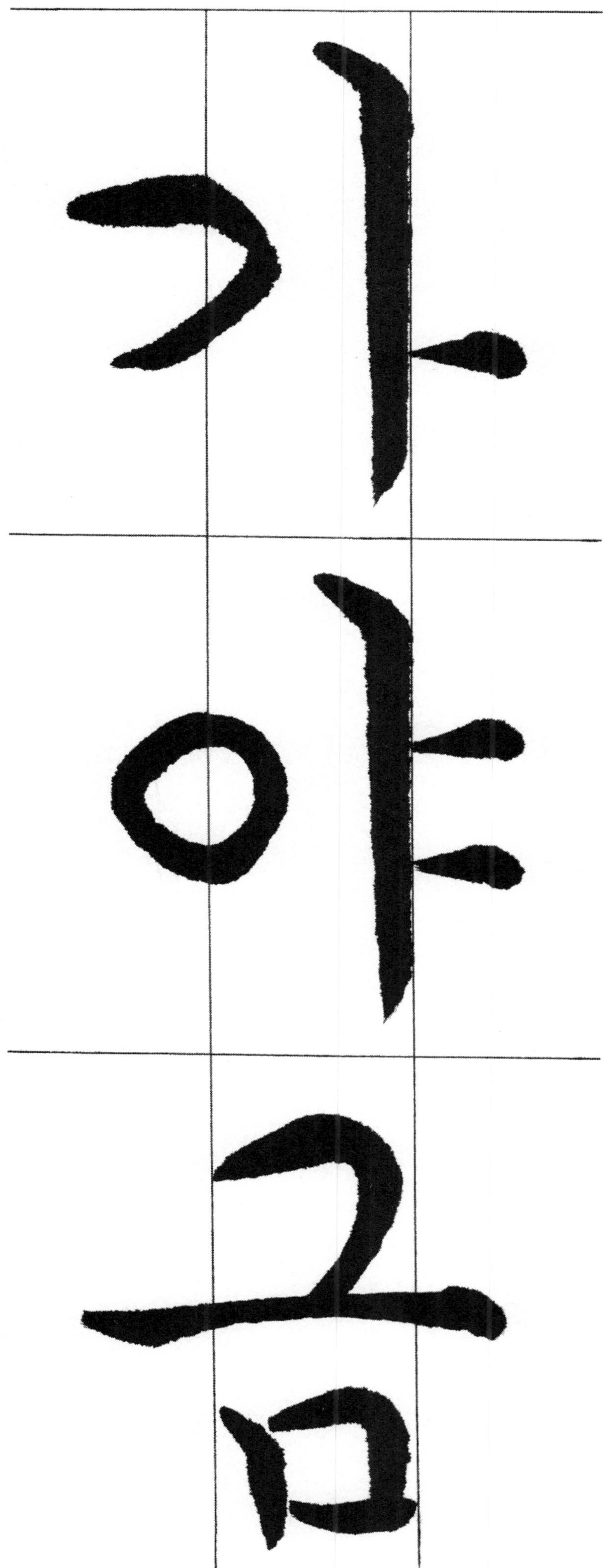
가
야
곱

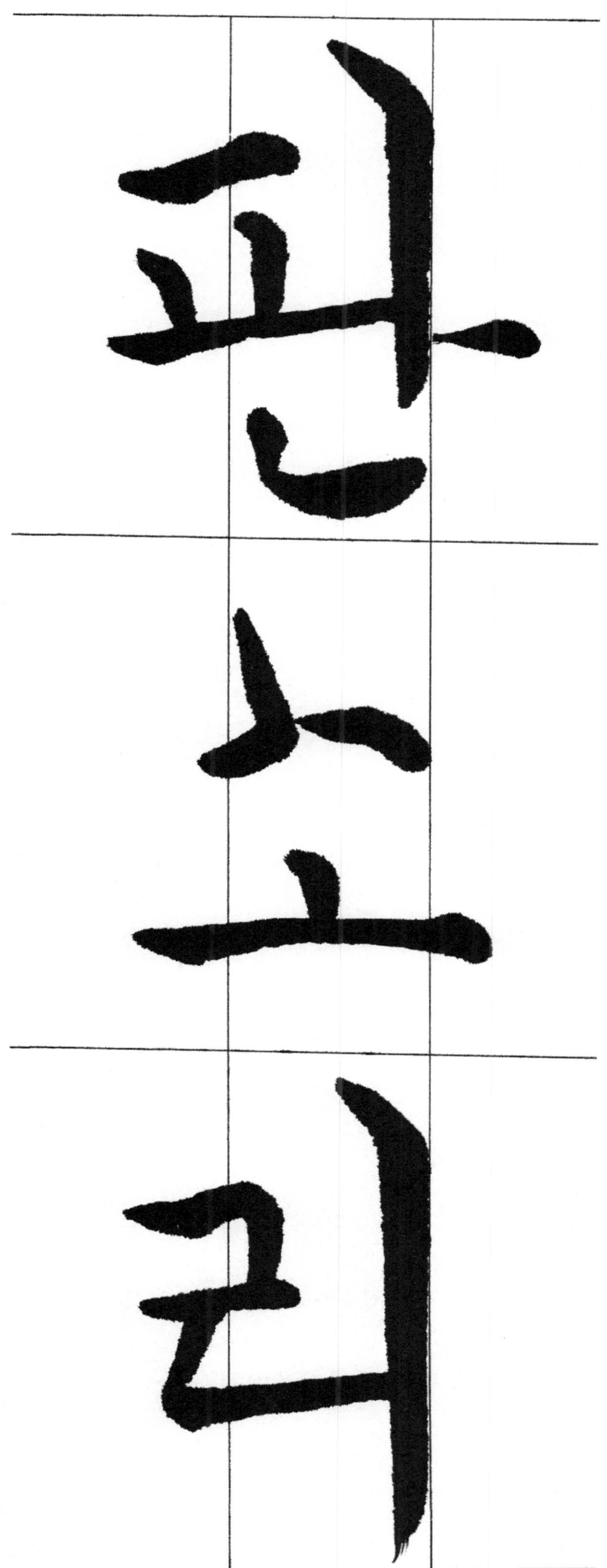

편
소
리

고
향
길

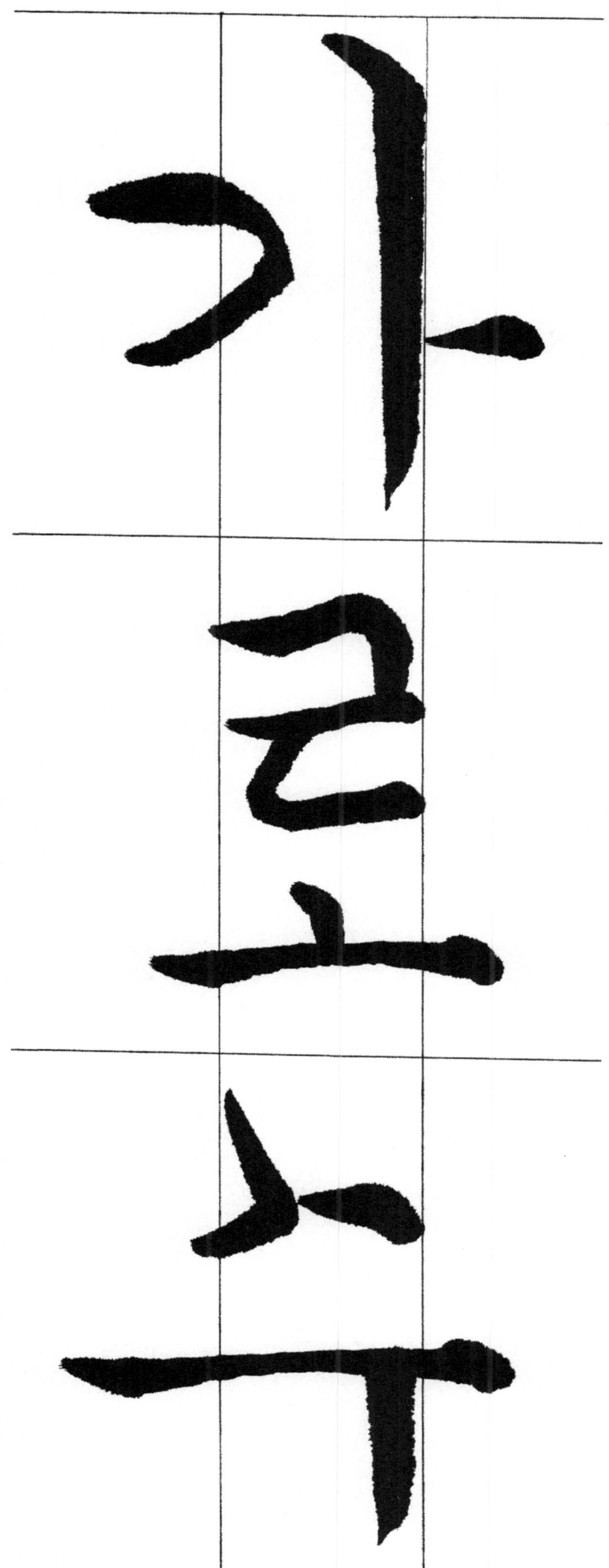
가로수

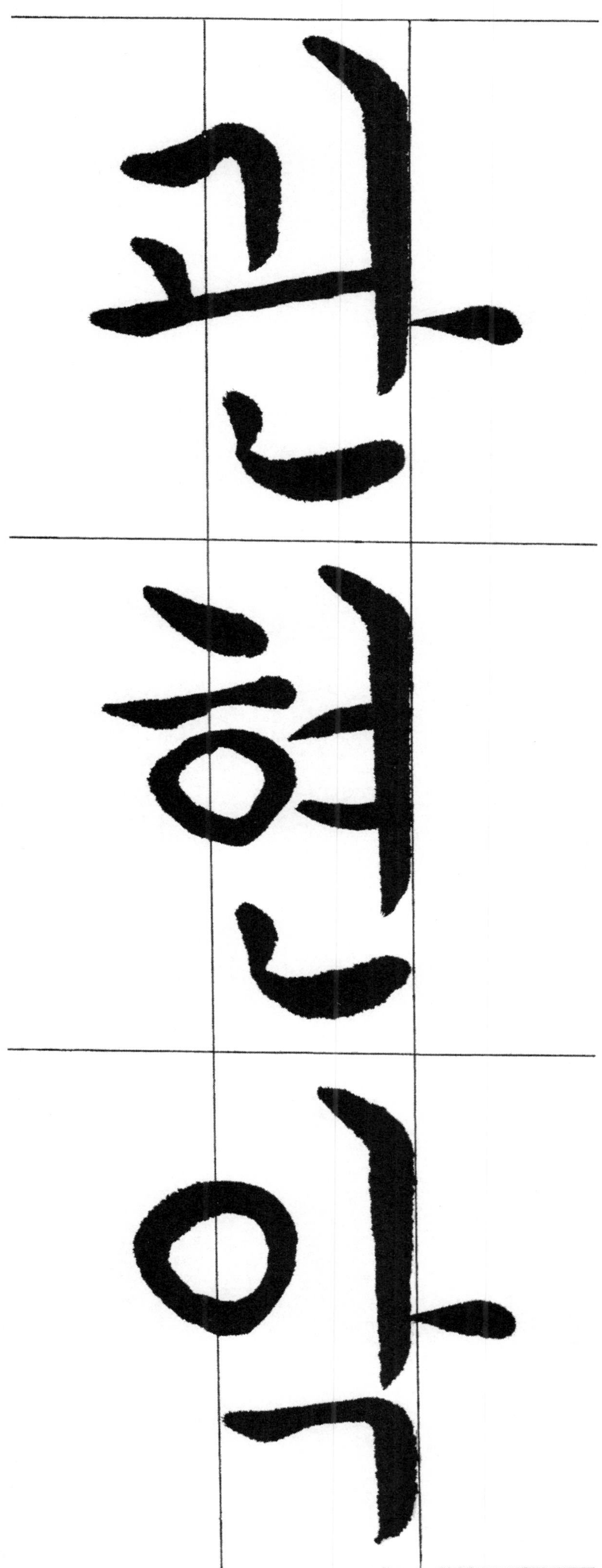
관
현
악

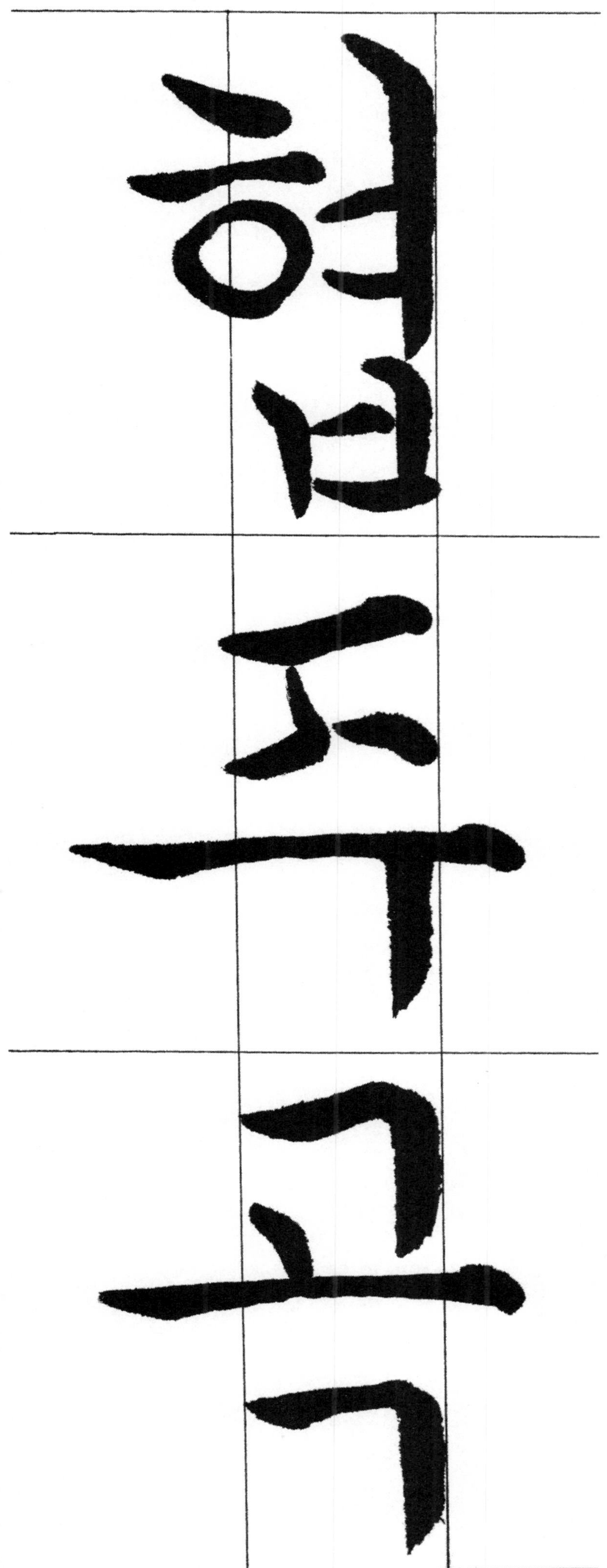
협주곡

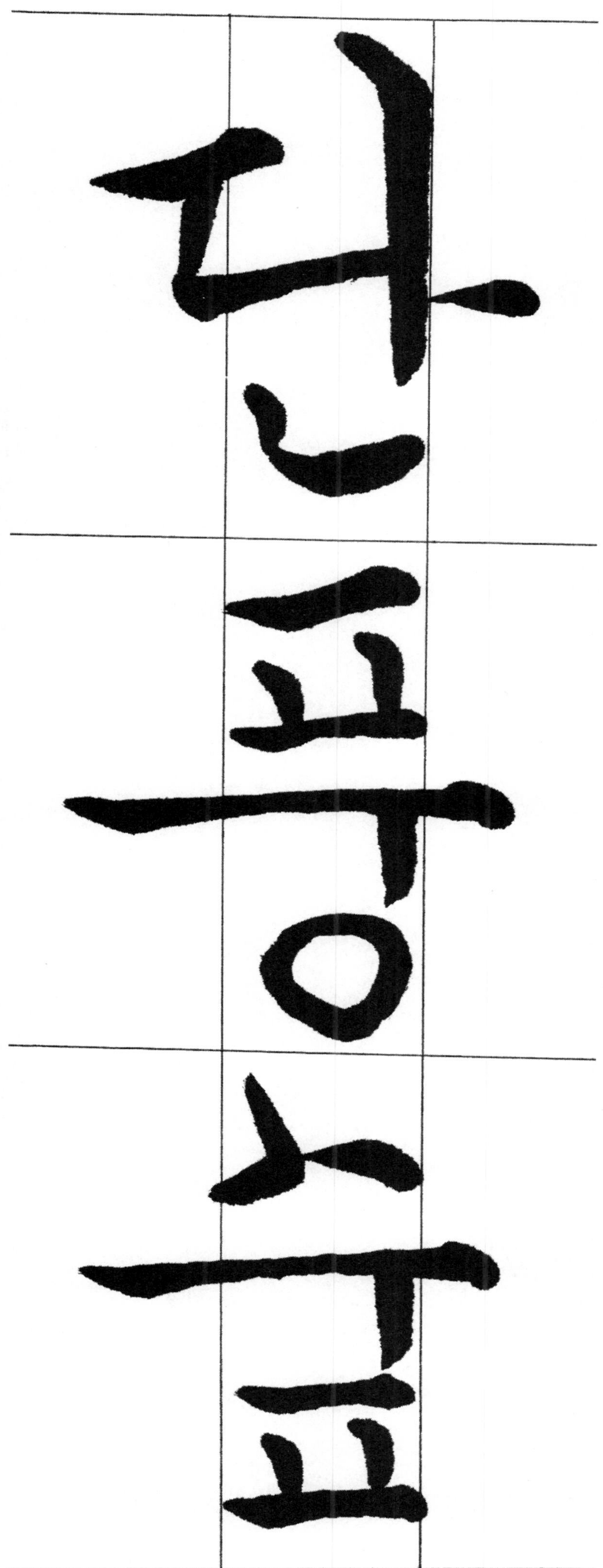
단풍숲

오솔길

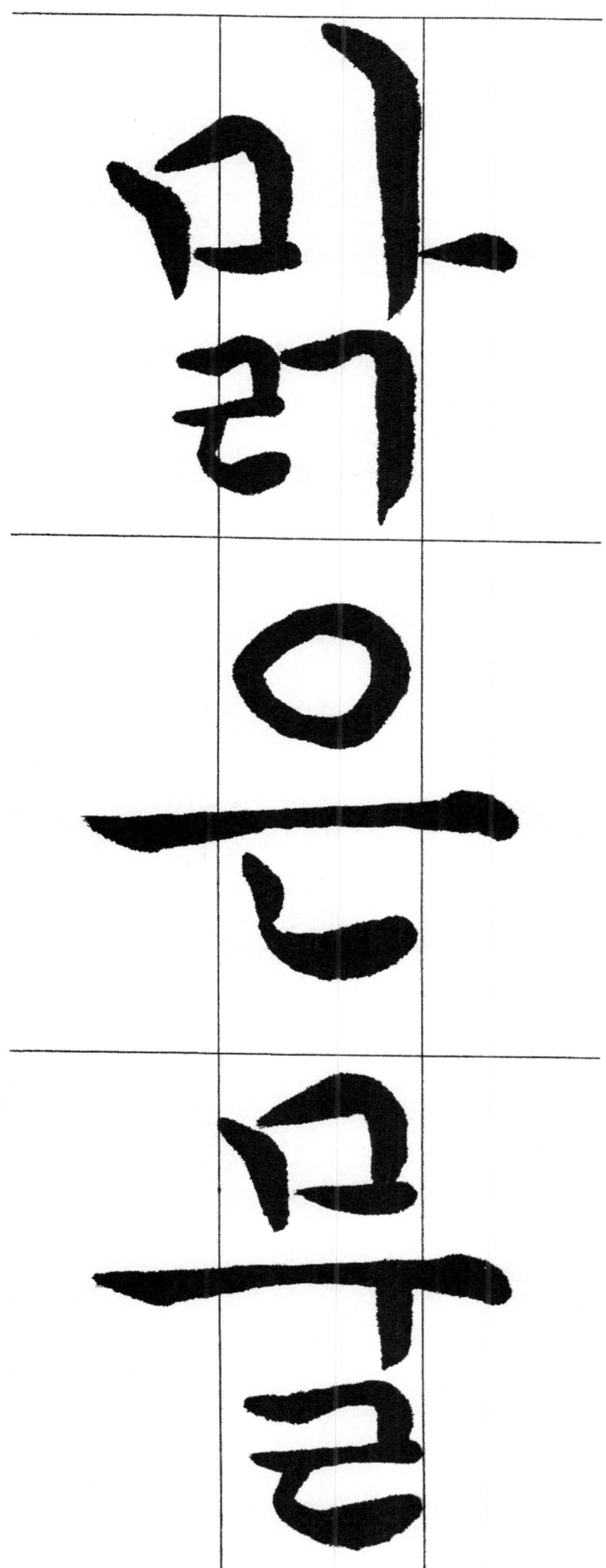
맑
은
물

약
수
터

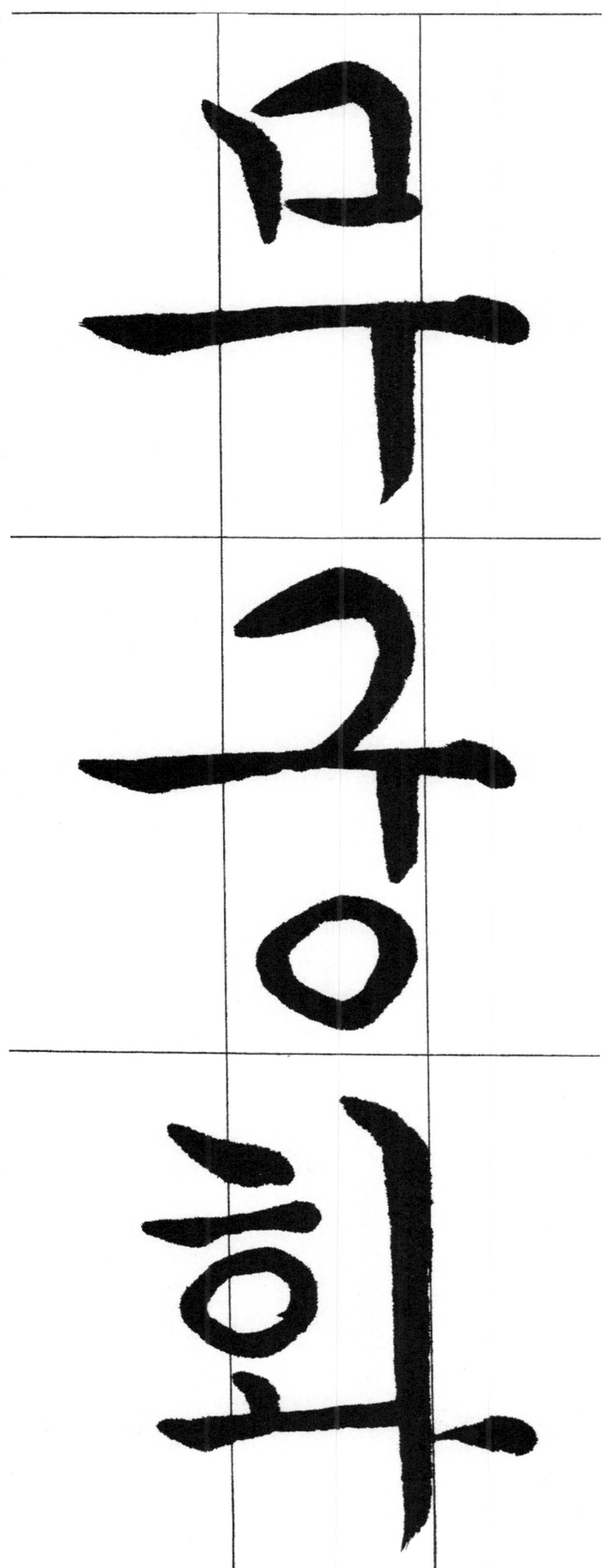
무
궁
화

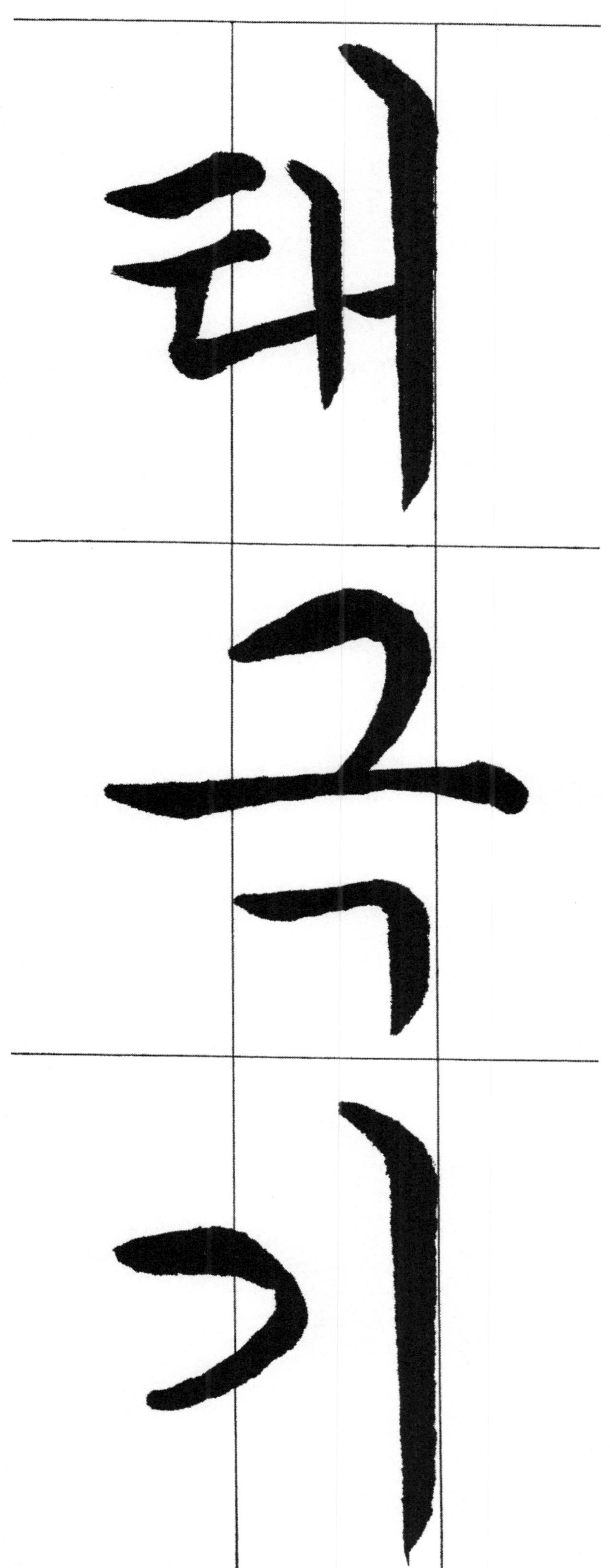
태
극
기

마
닷
가

조
약
돌

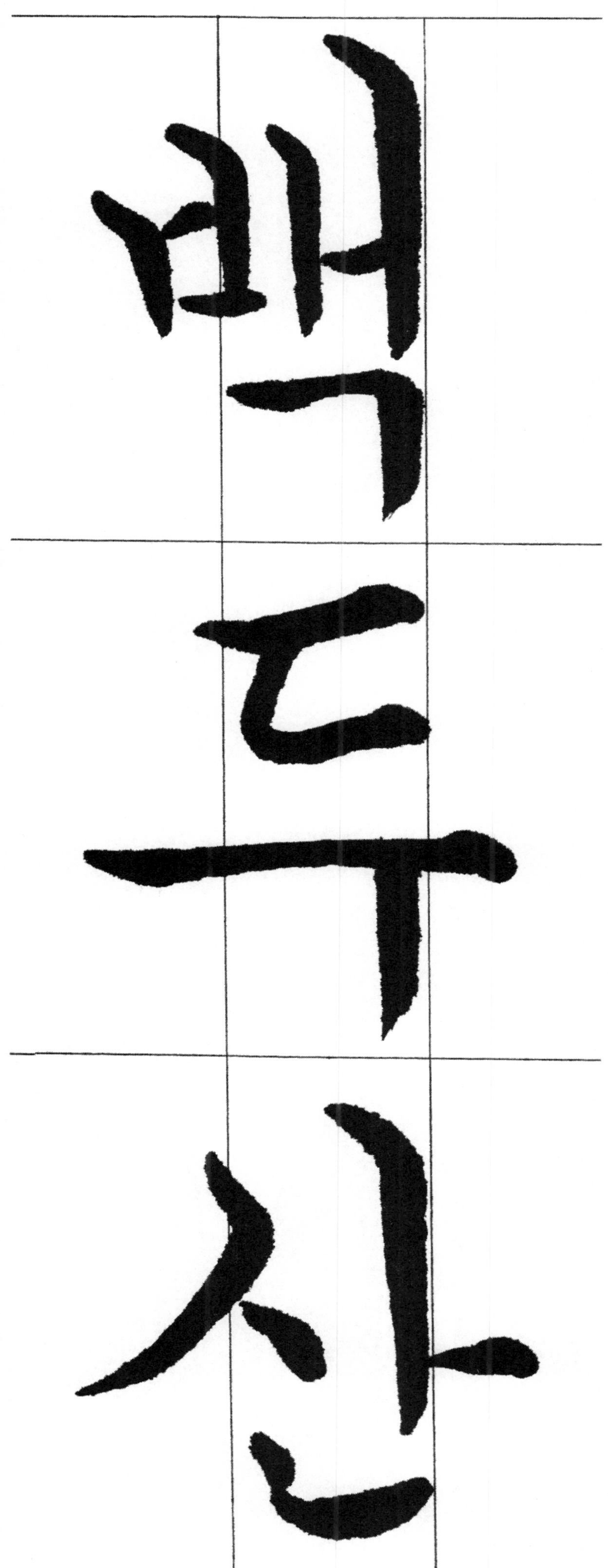
백
두
산

천
지
연

사
랑
방

화롯불

솔방울

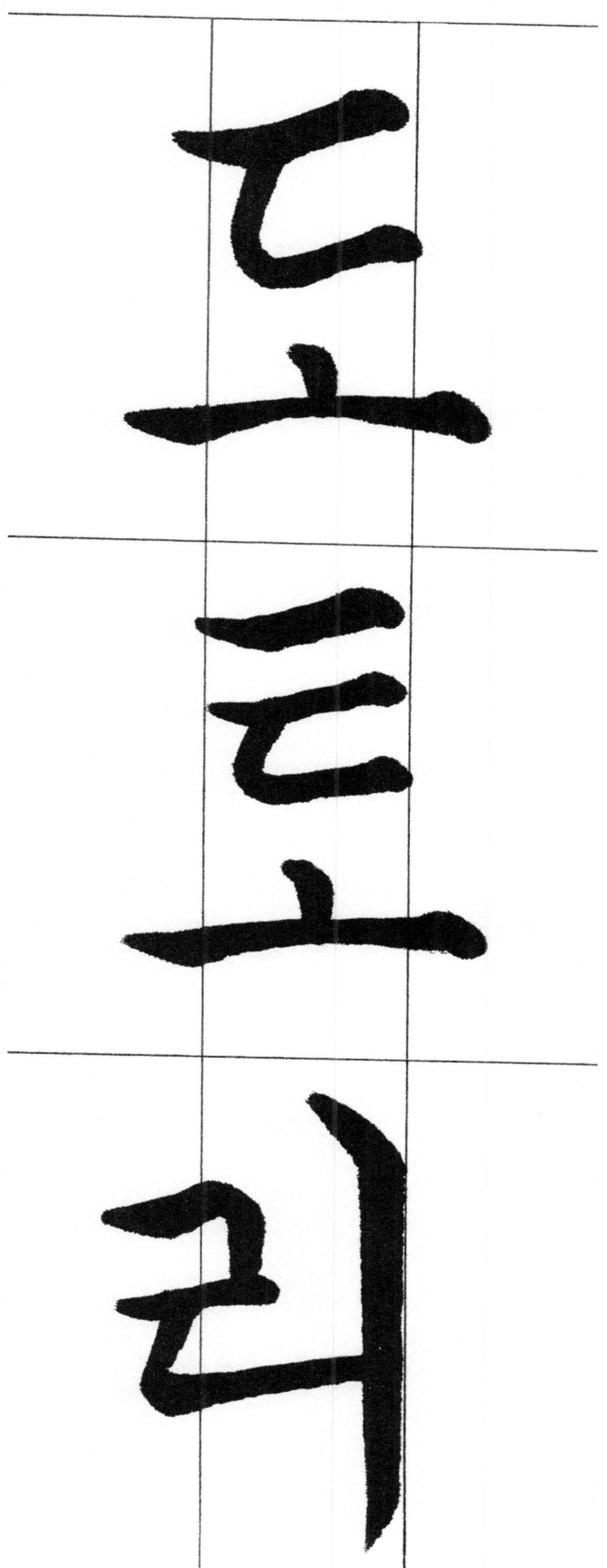
도
토
리

수평선

돛
단
배

전
시
회

꽃
다
발

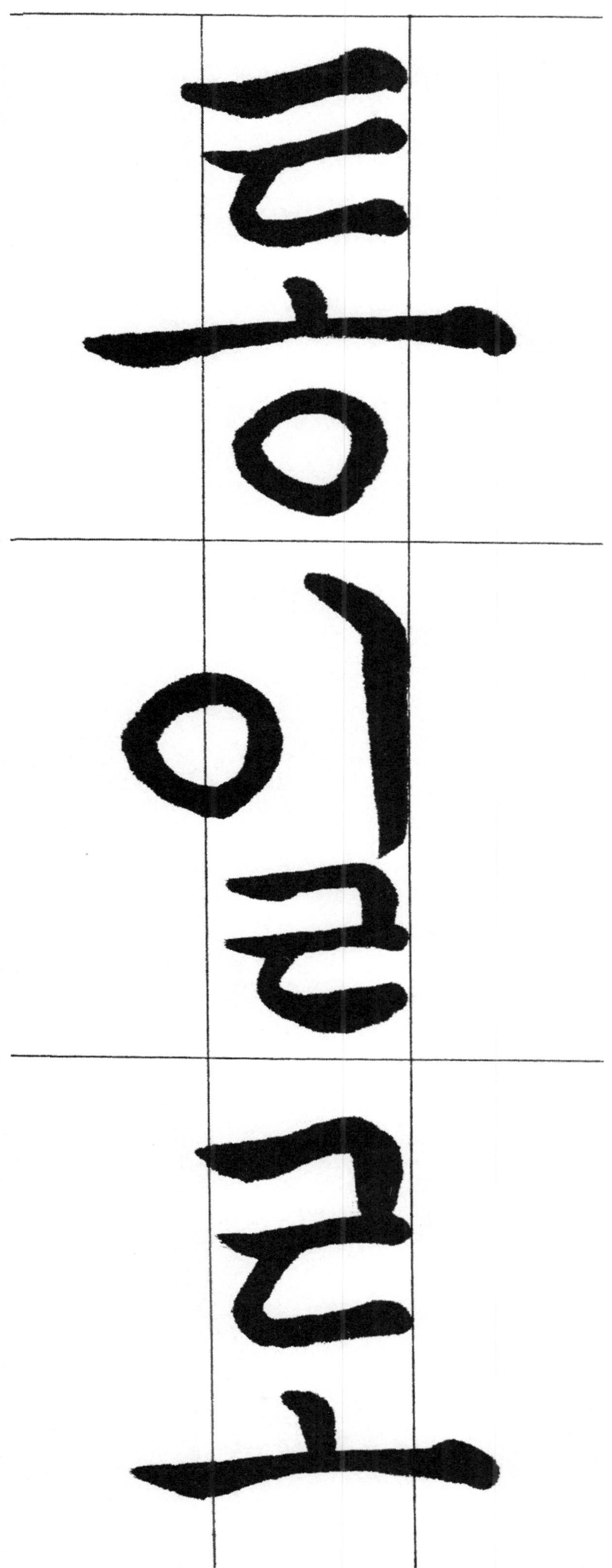
통
일
로

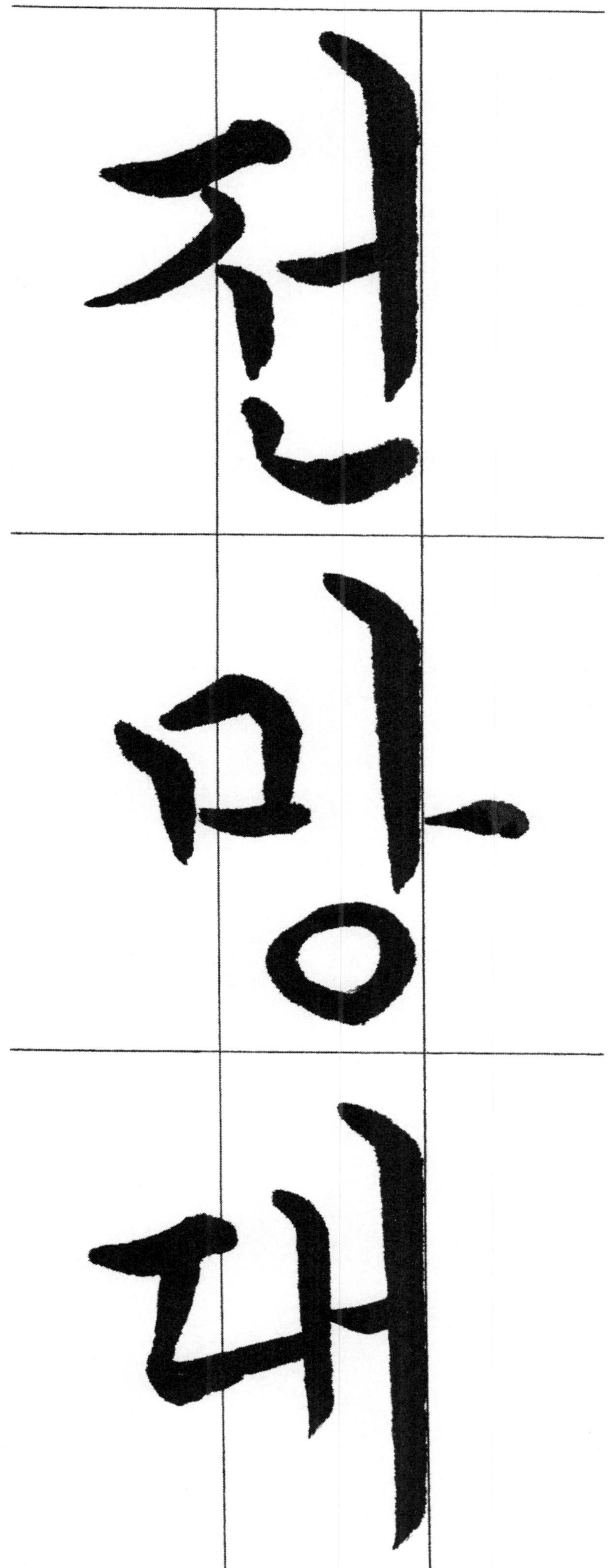
전
망
대

한
가
위

달
맞
이

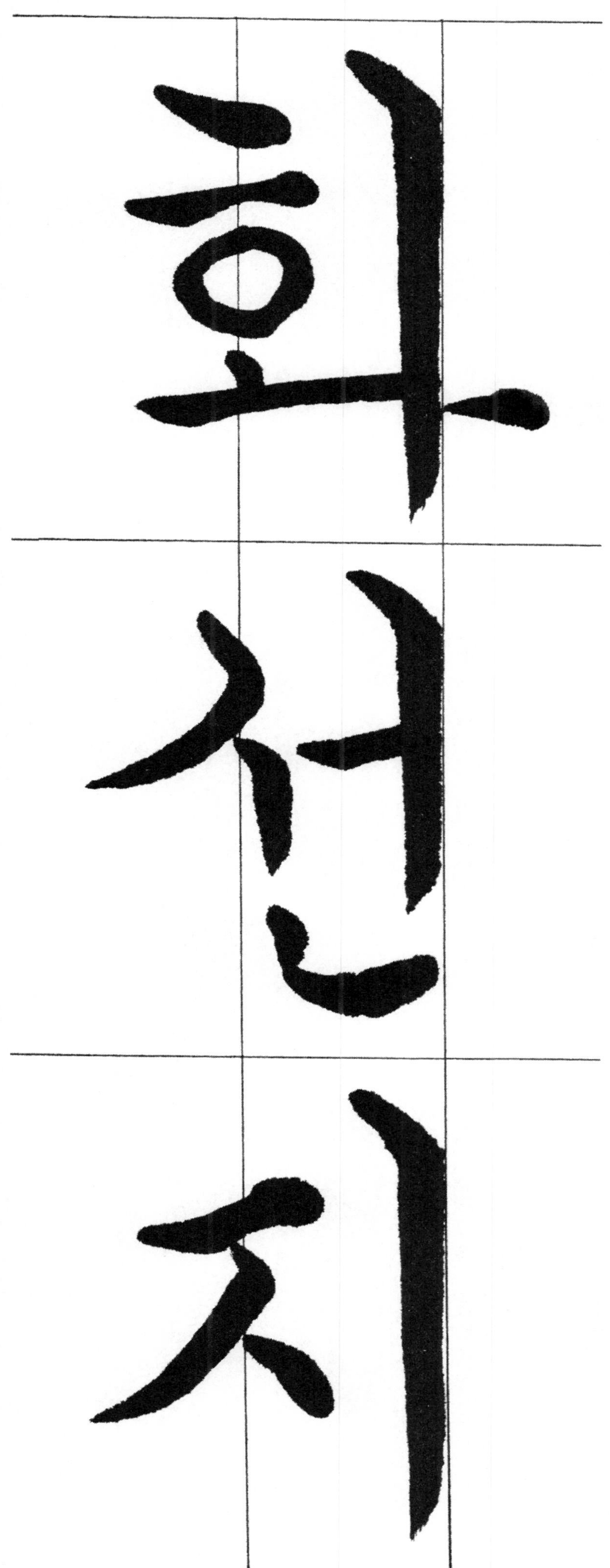
화
선
지

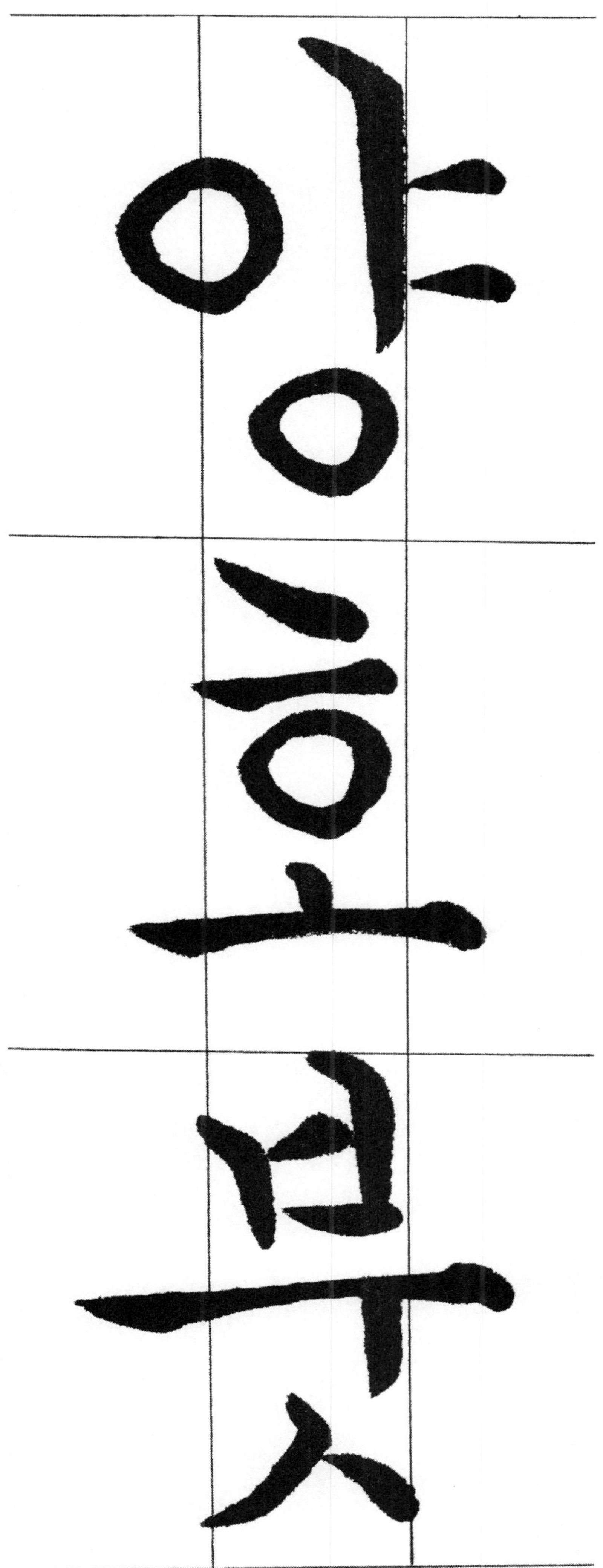

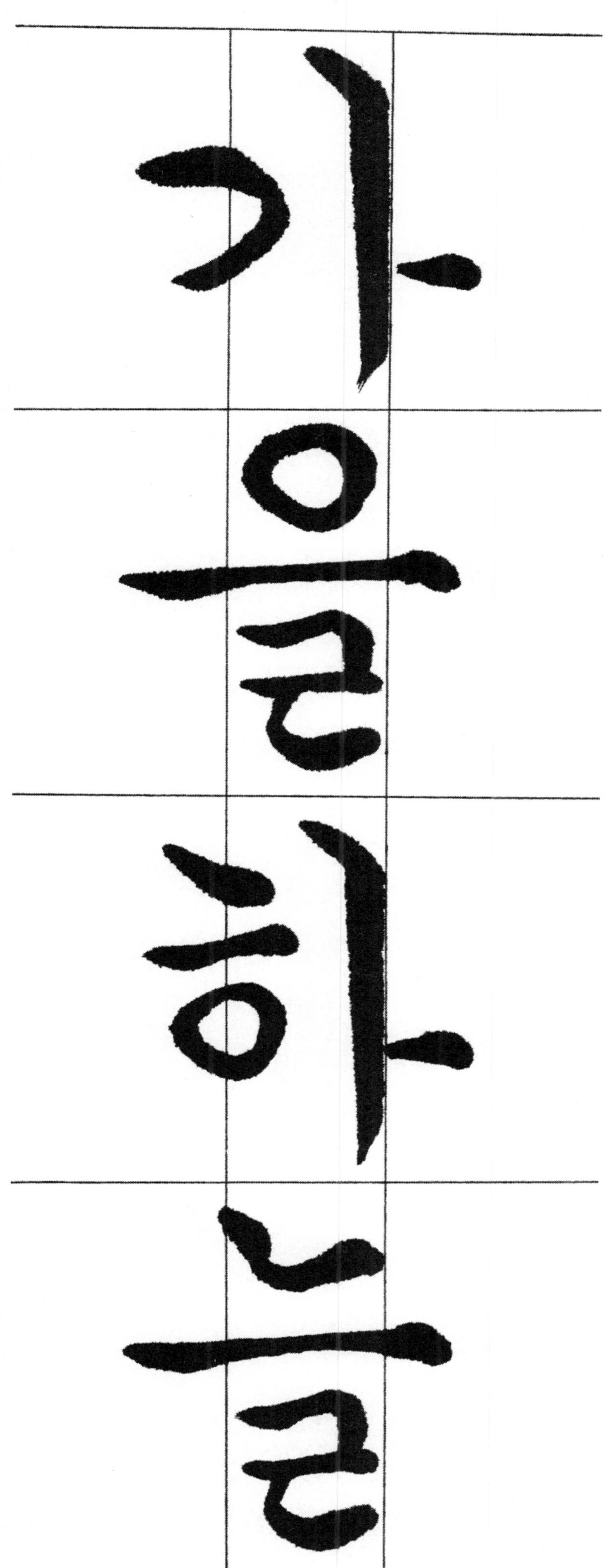
가
을
하
늘

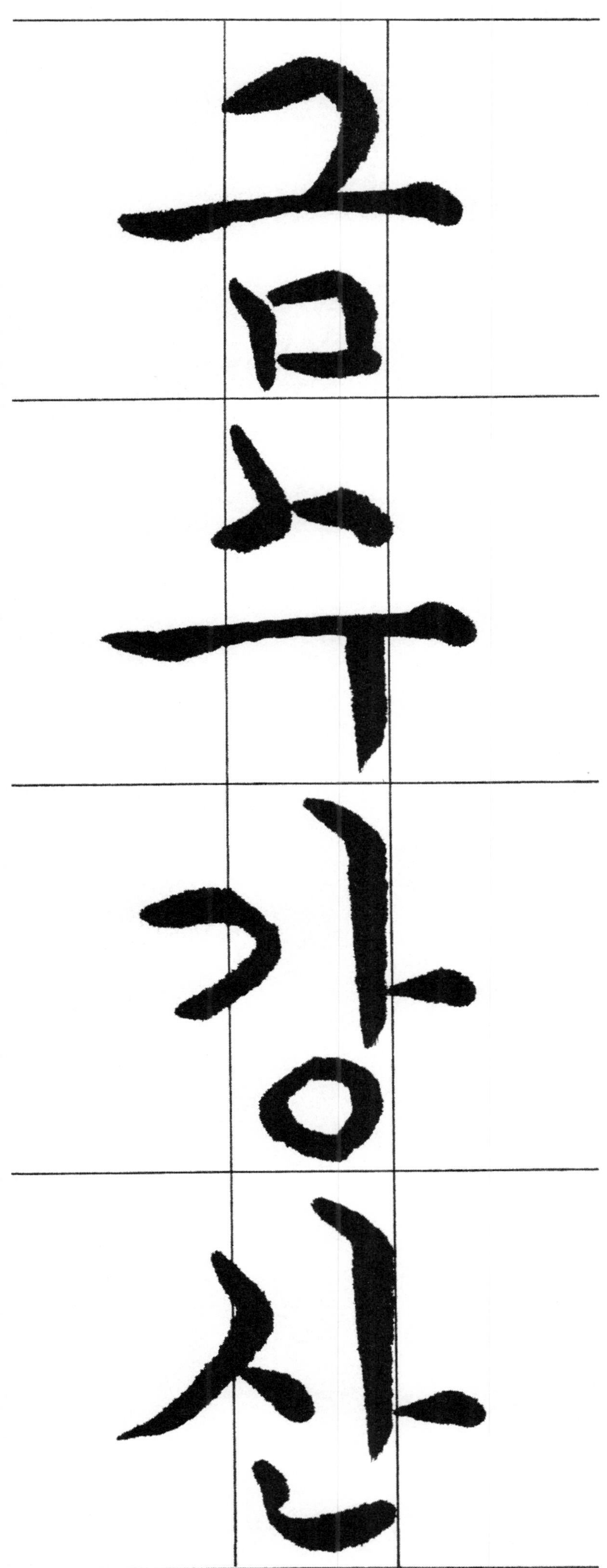
금수강산

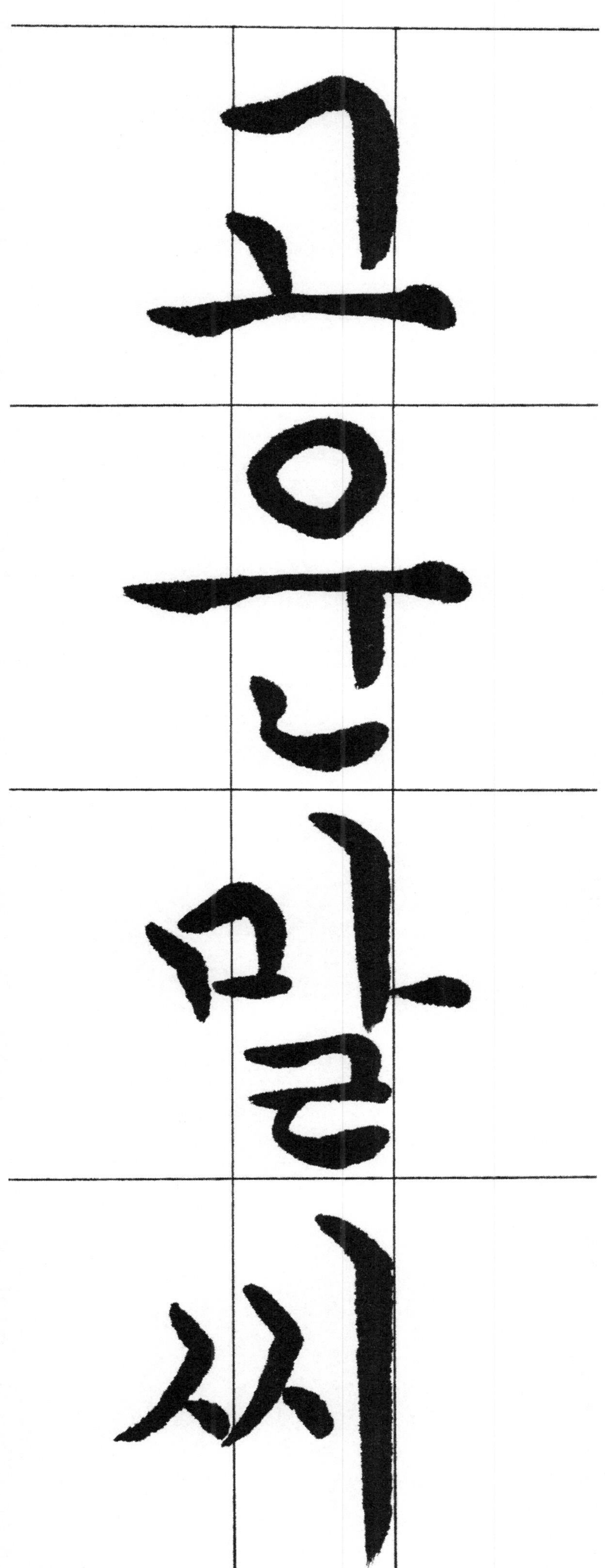
고운말씨

파
른
행
등

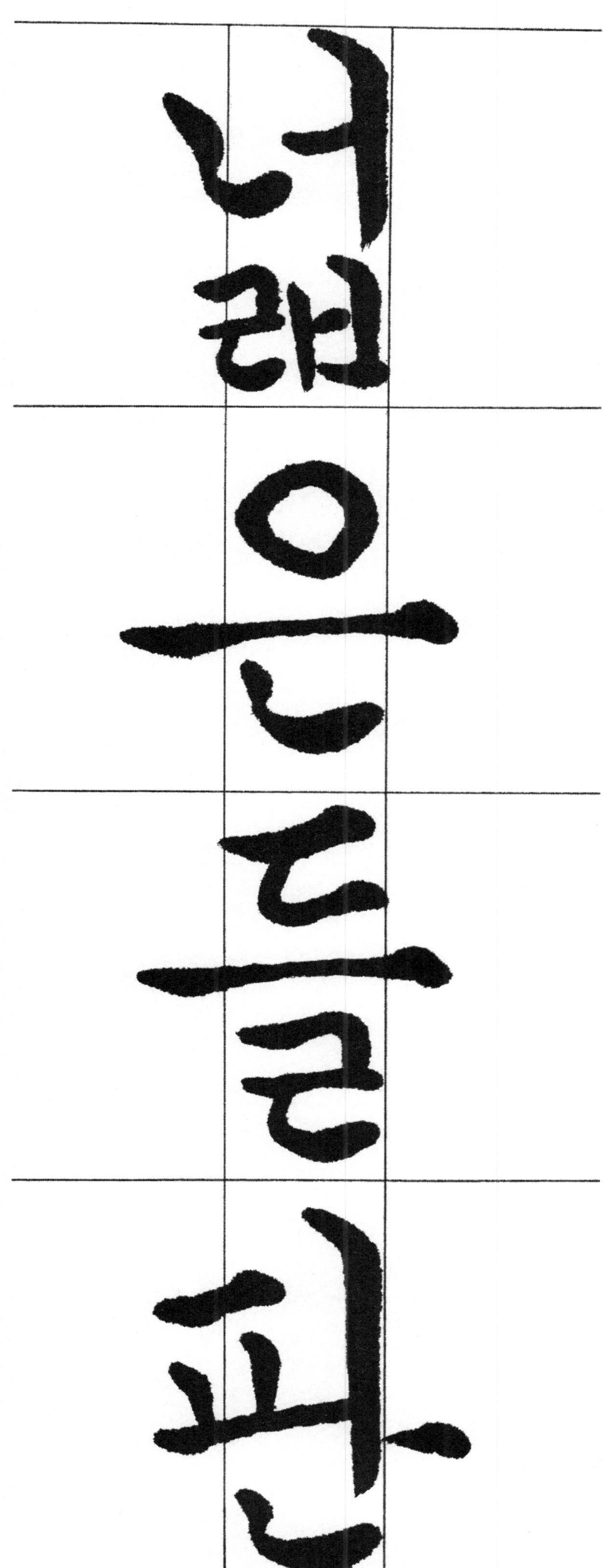
넓은 들판

황
곰
물
걸

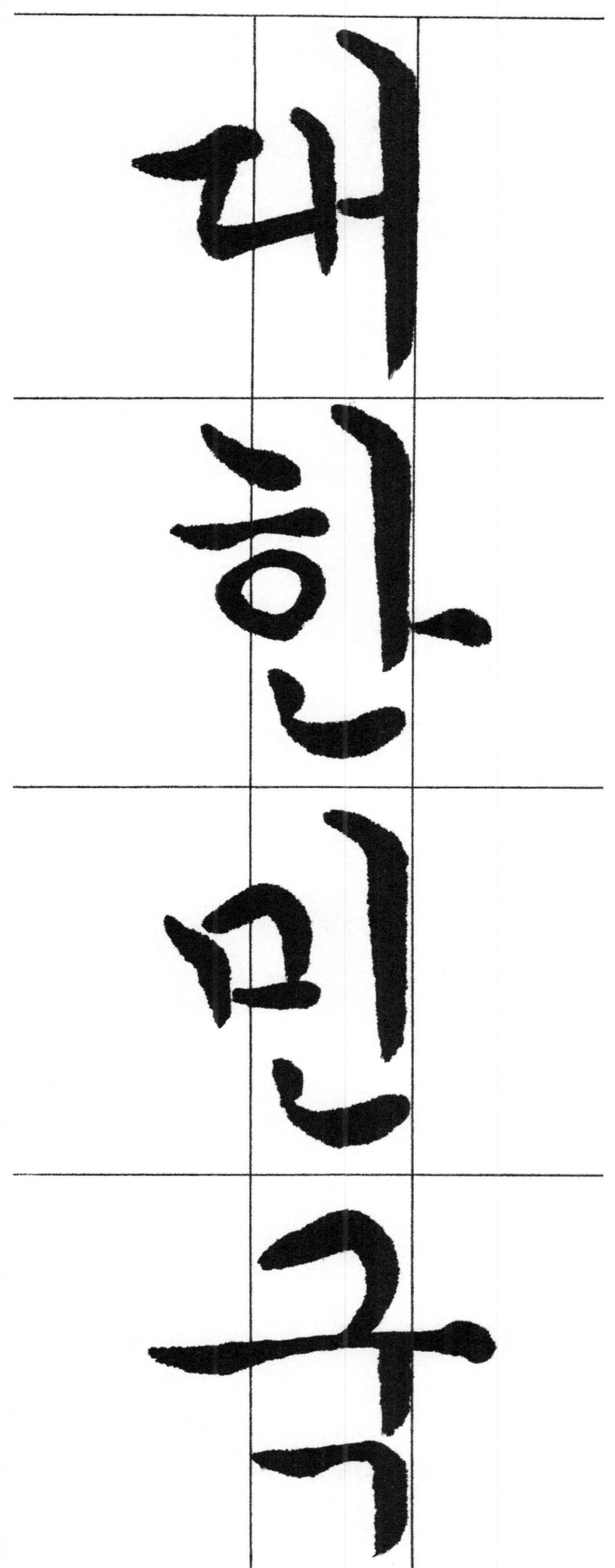
대
한
민
국

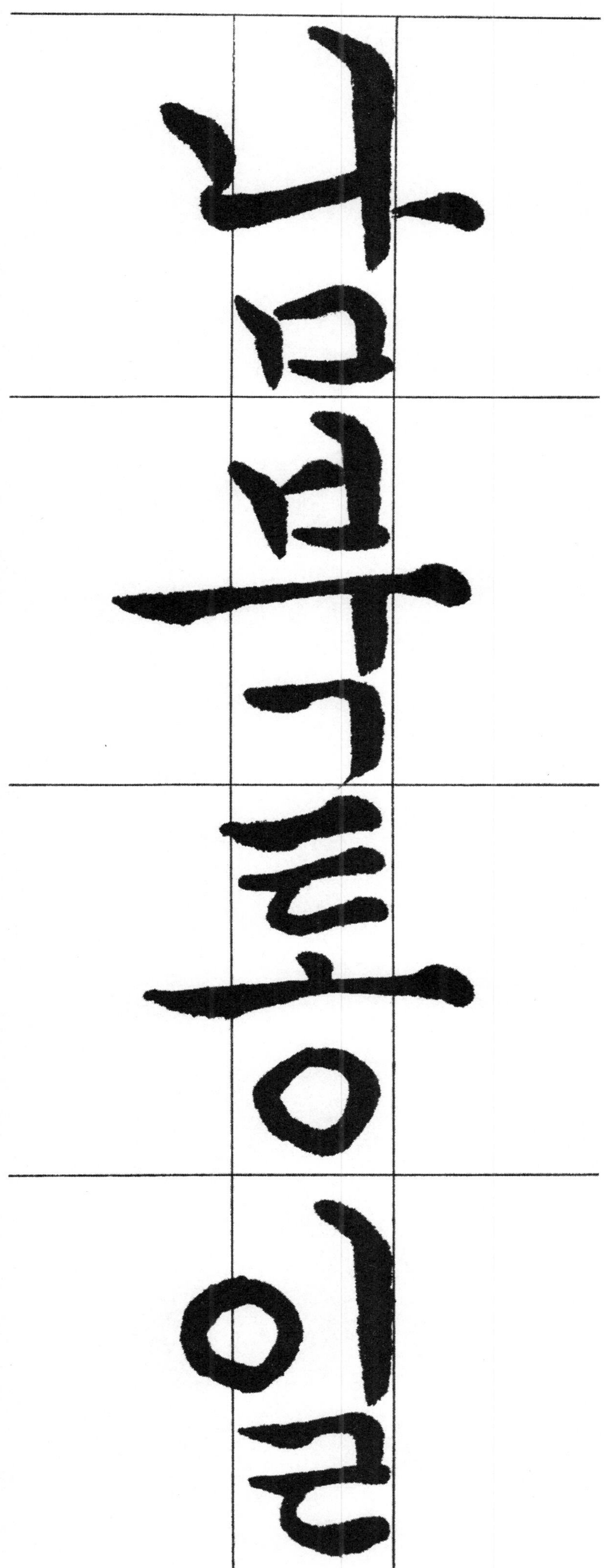
남북통일

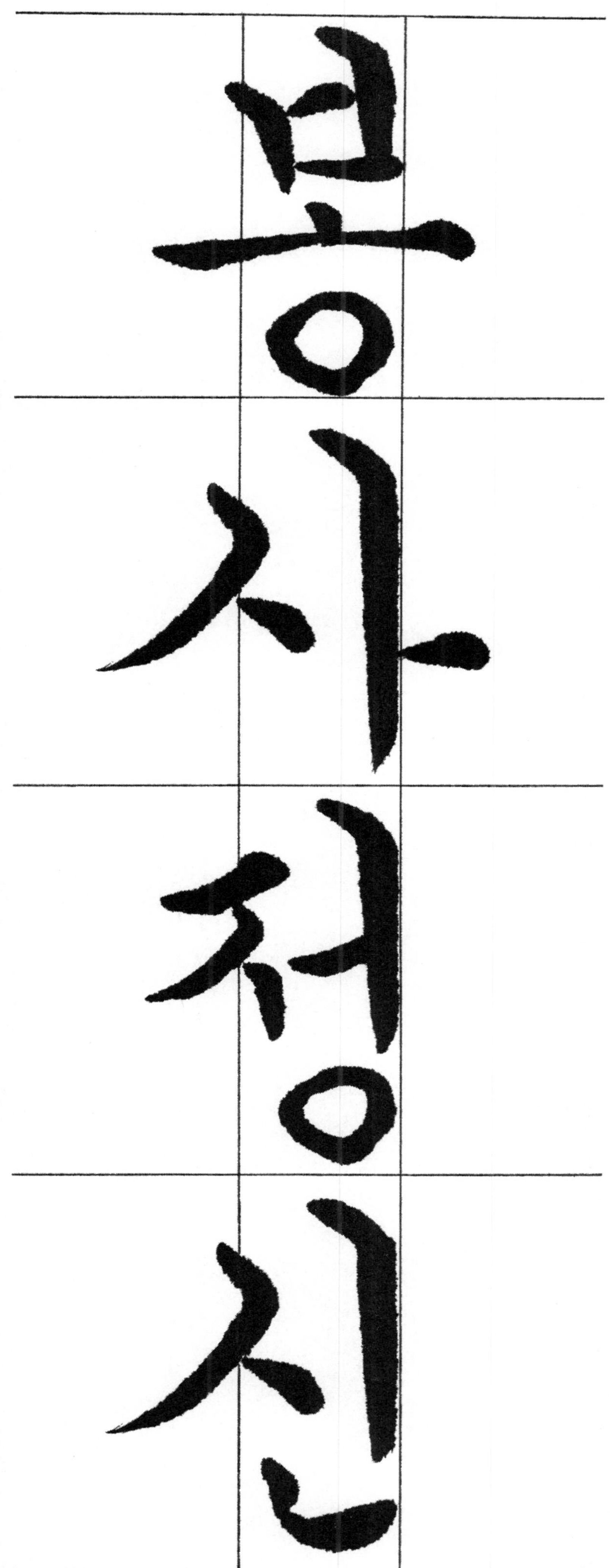
봉
사
정
신

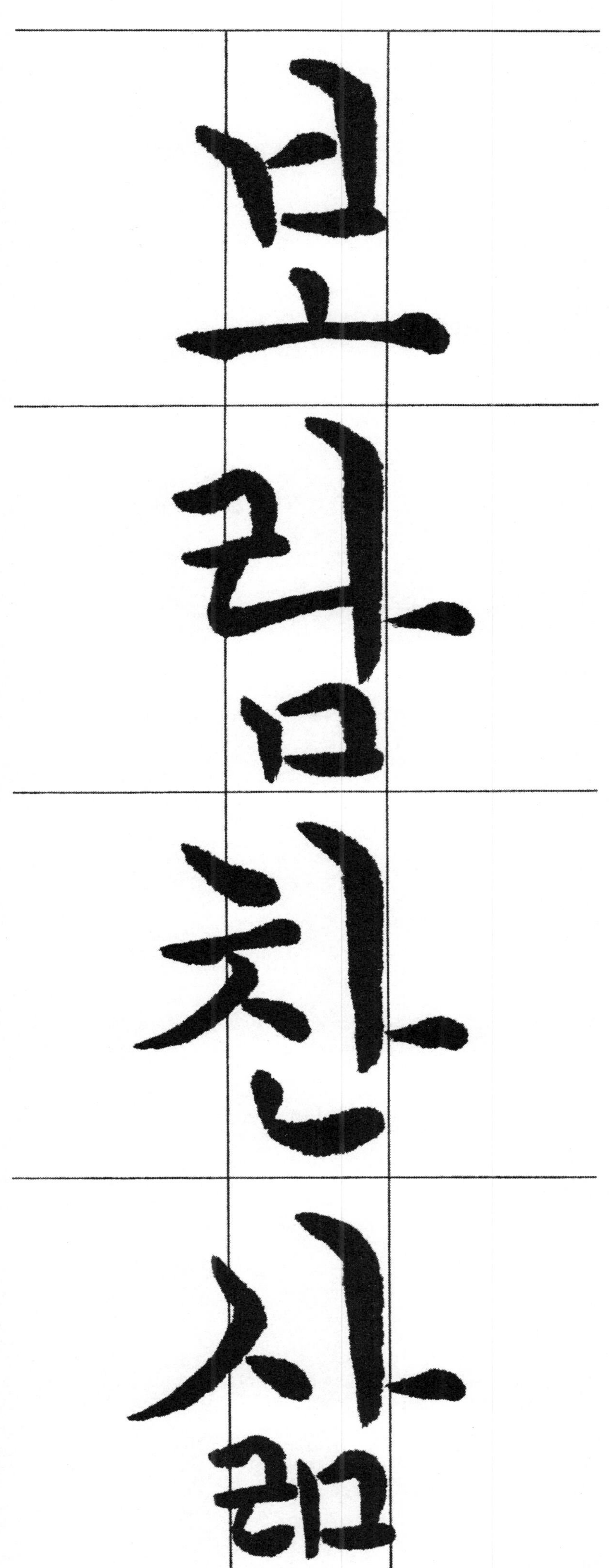

묘
람
친
사

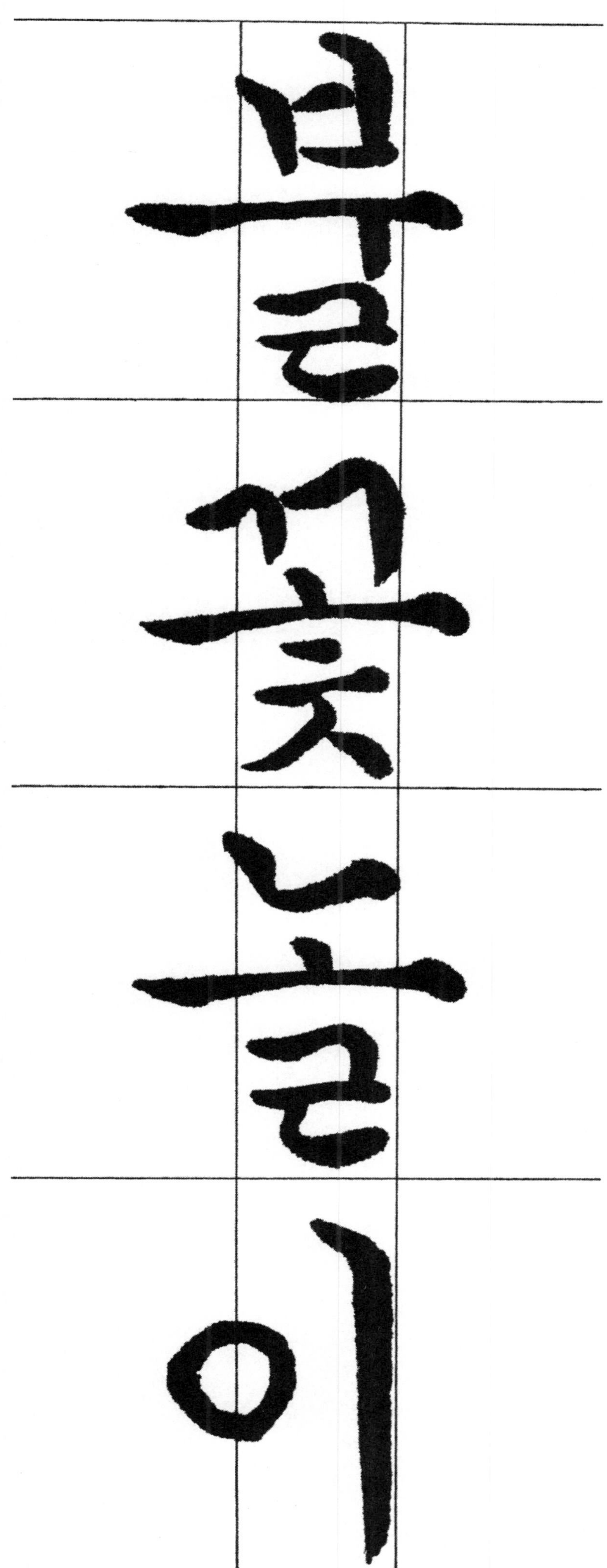
불꽃놀이

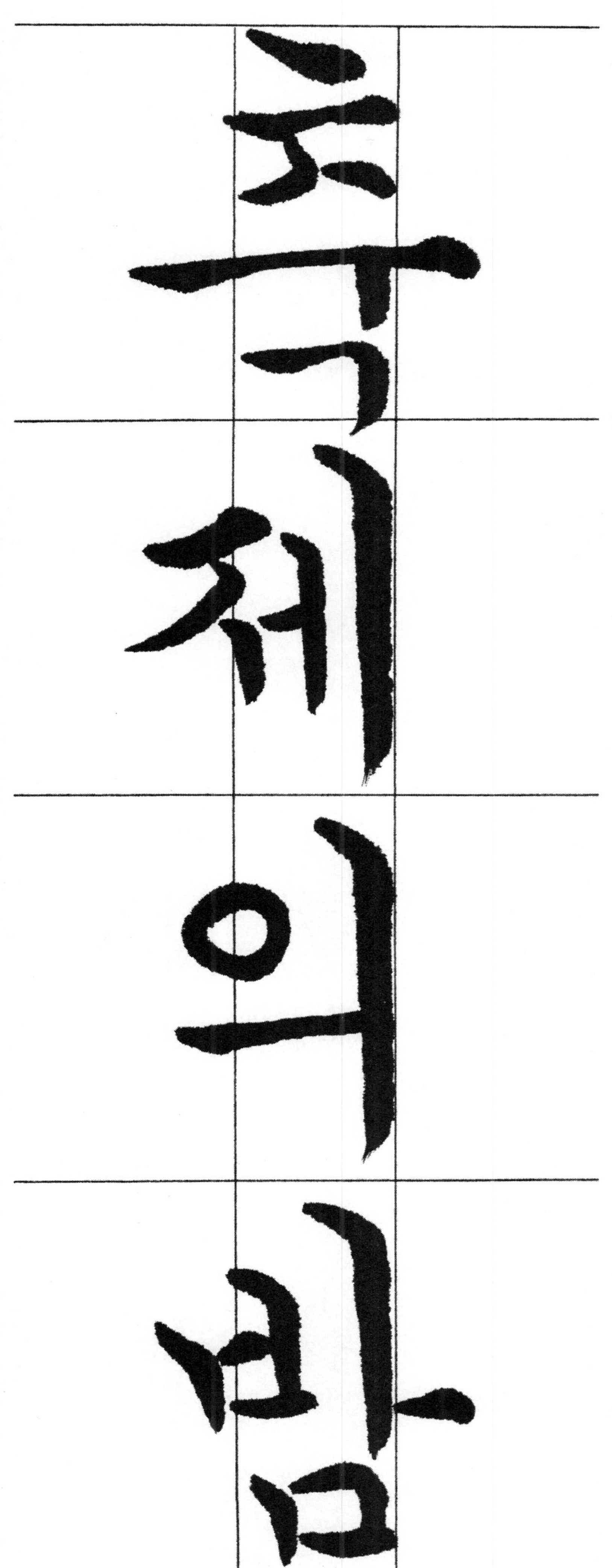
축제의 밤

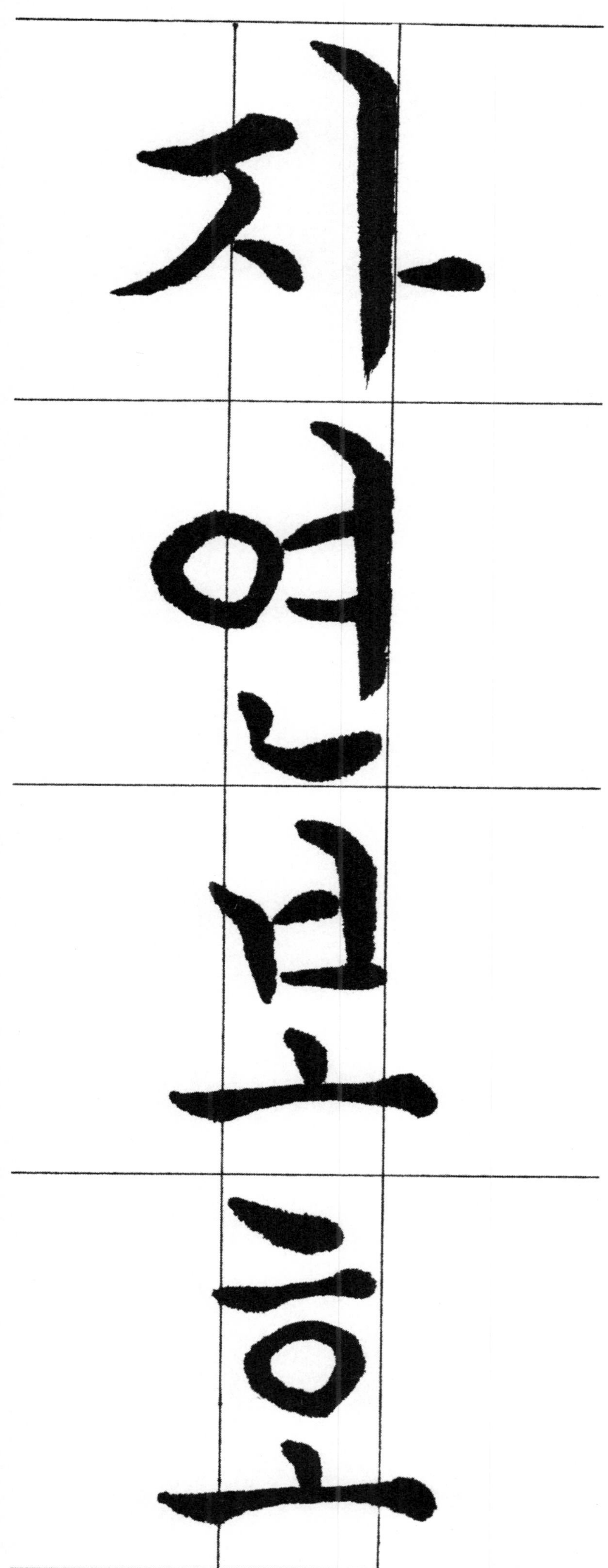
자연으로

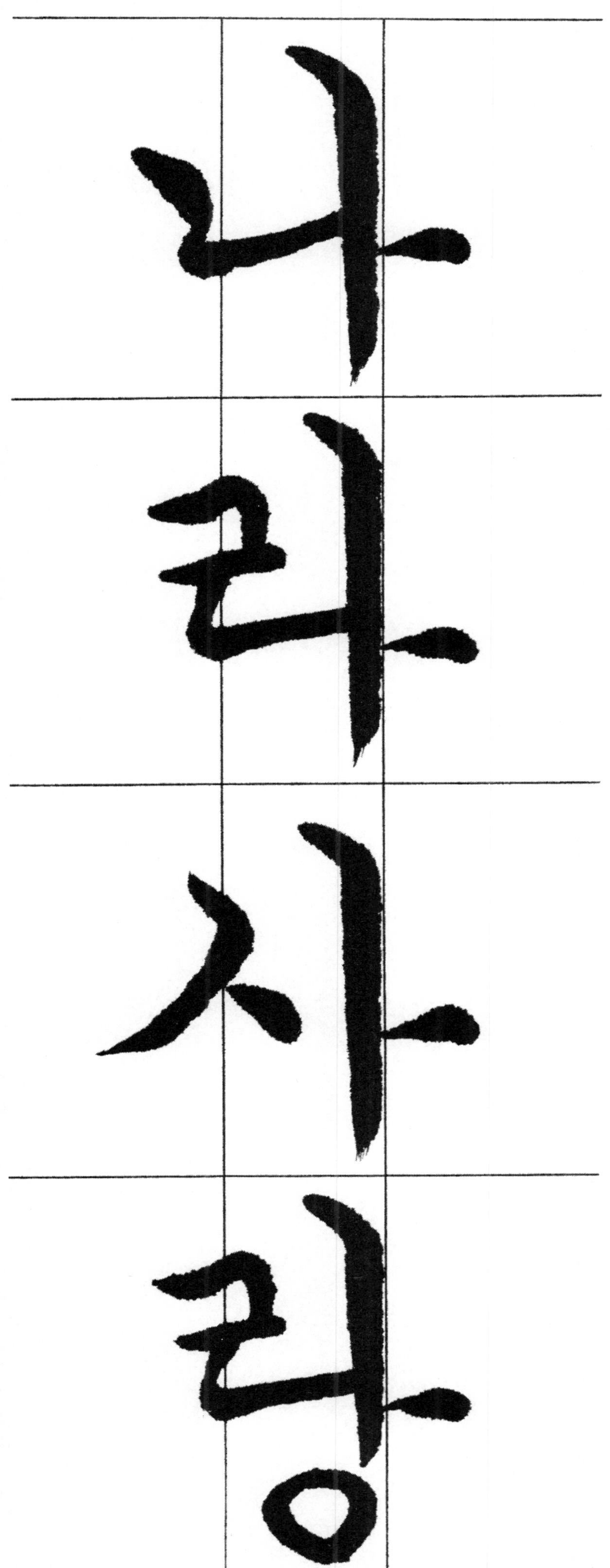
나
라
사
랑

구 쿠 수 쿵

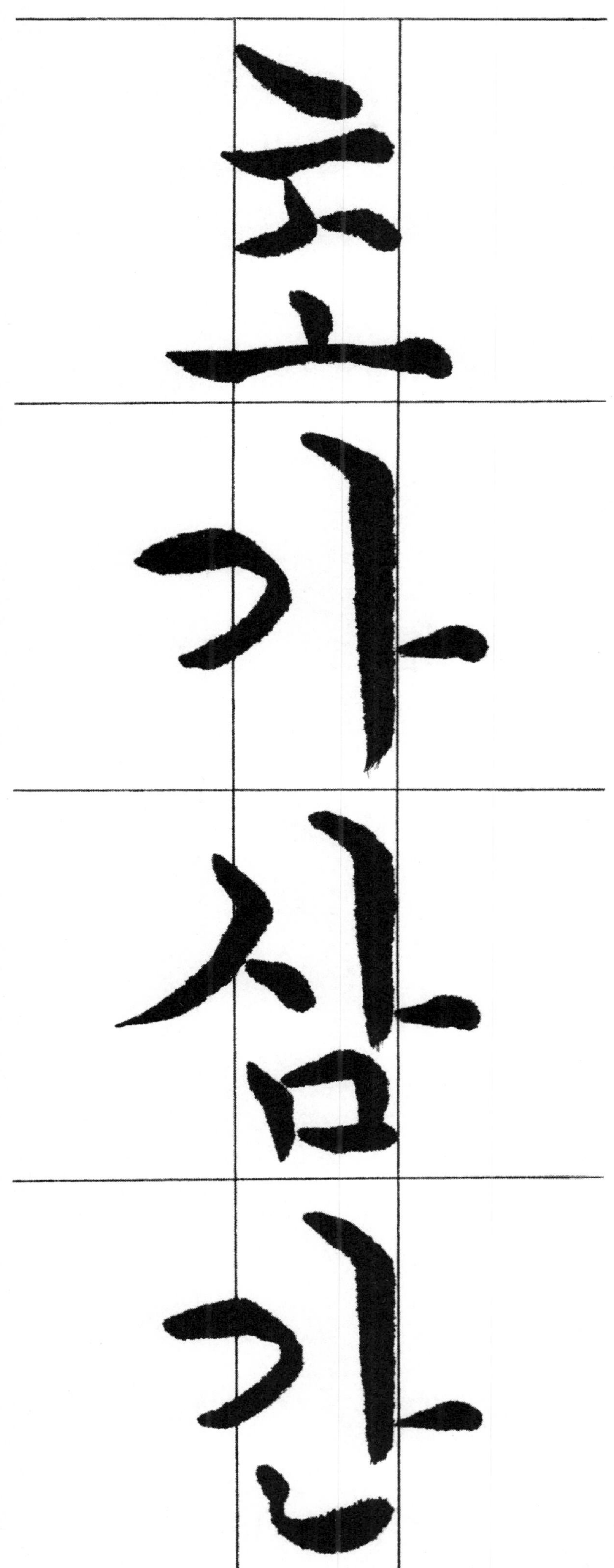
초가삼간

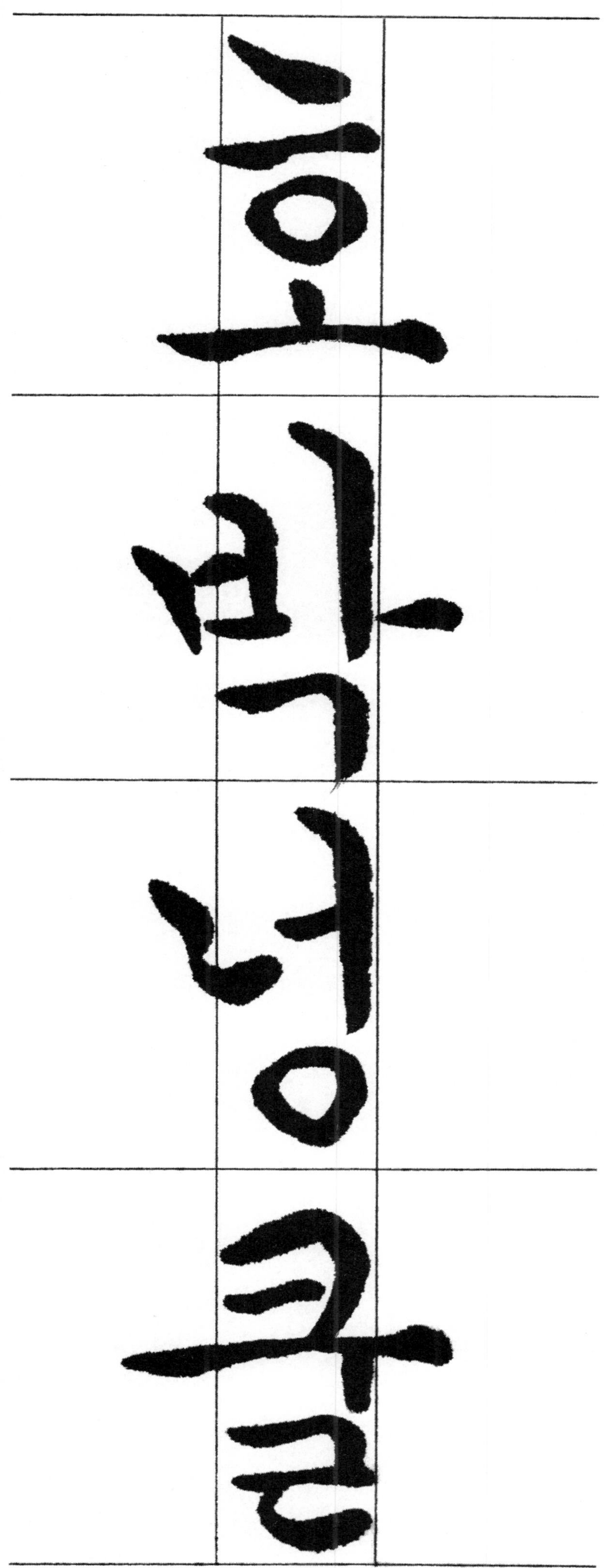
호박넝쿨

한
글
서
에

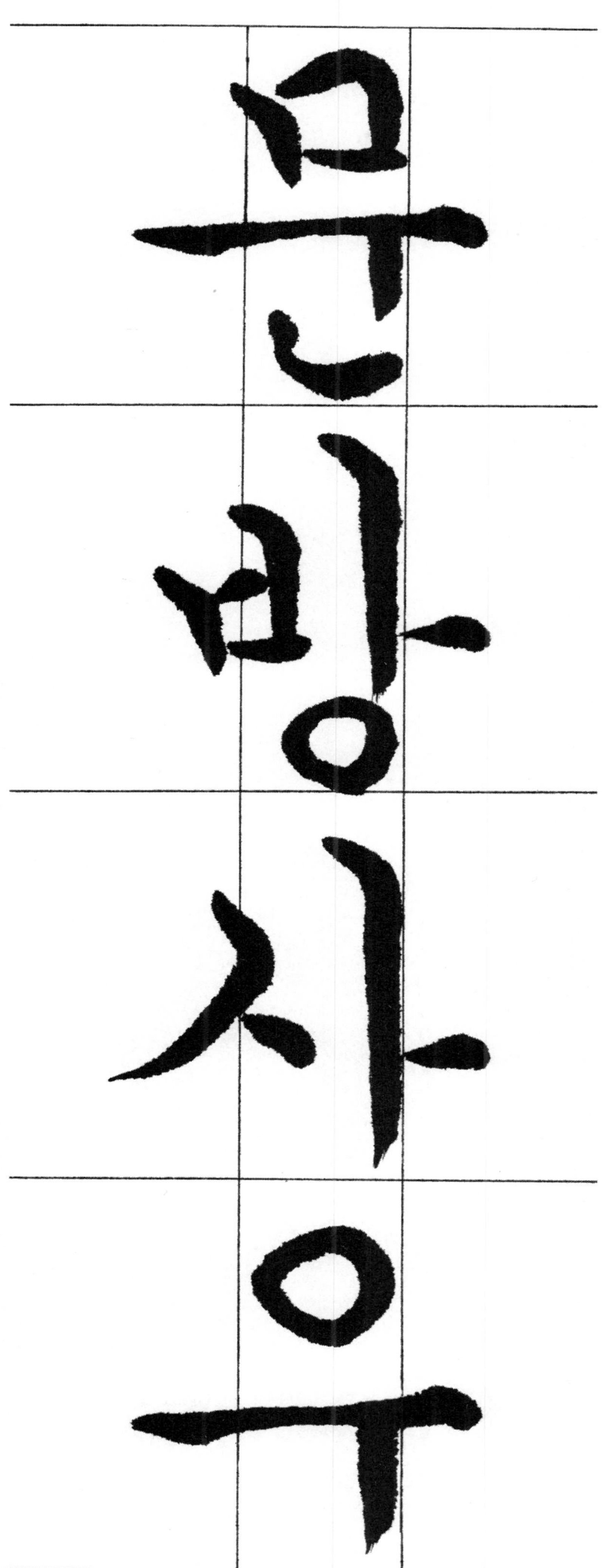
문방사우

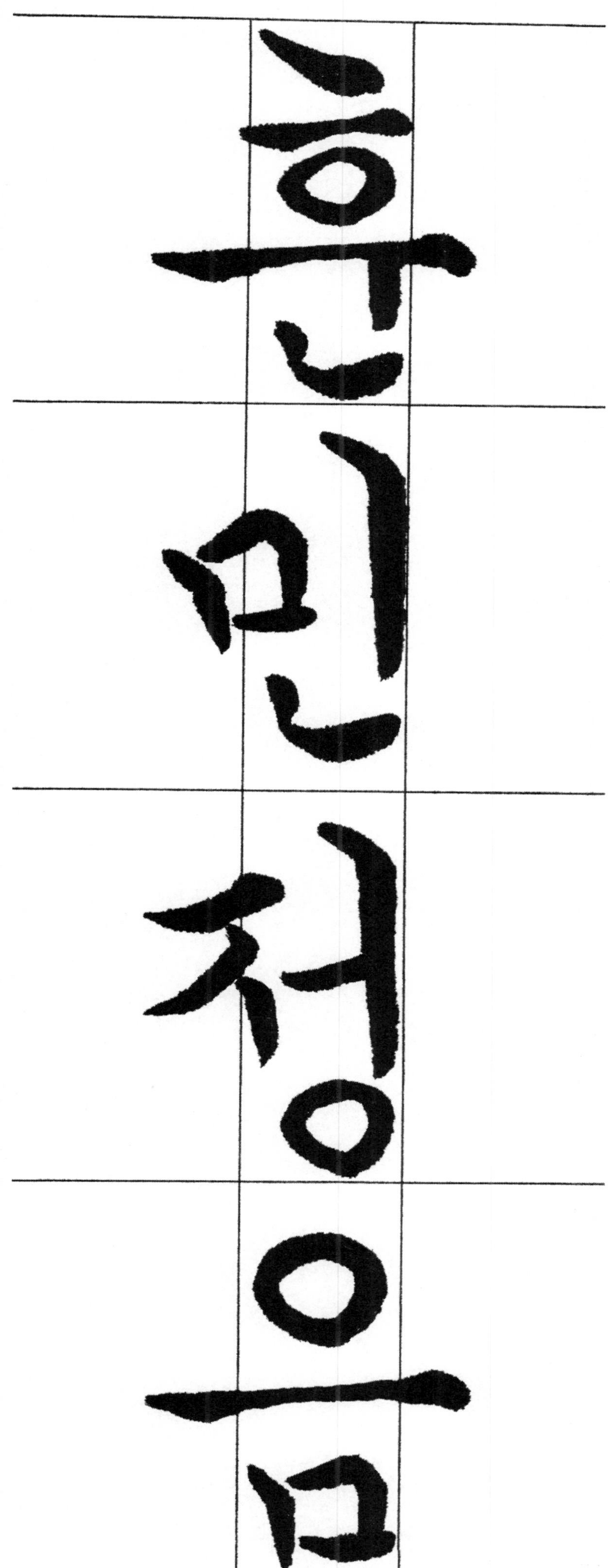
훈민정음

세종대왕

갈꽃 **권 숙 희**

· 꽃뜰 이미경 님 사사
· 백수 정완영 님 사사
· 갈물한글서회 이사
· 갈꽃한글서예원 원장

작품소장
· 국립한글박물관
· 세종대왕박물관
· 백수문학관
· 한국시집박물관

갈꽃한글서예원

☎(033)251-4524 / 010-8518-4524
24307. 강원도 춘천시 후만로 116번길 11-1

갈꽃 권숙희쓴

한글서예 정자체 1

2000년 2월 10일 초판발행
2005년 10월 18일 재판발행
2019년 10월 31일 3판발행

저 자 : 권 숙 희

발행처 : ㈜이화문화출판사

발행인 : 이 홍 연, 이 선 화

등록번호 : 제 300-2015-92

서울시 종로구 인사동길 12 (대일빌딩 3층 310호)
전화 (02) 732-7091~3
팩스 (02) 725-5153

정가 15,000원